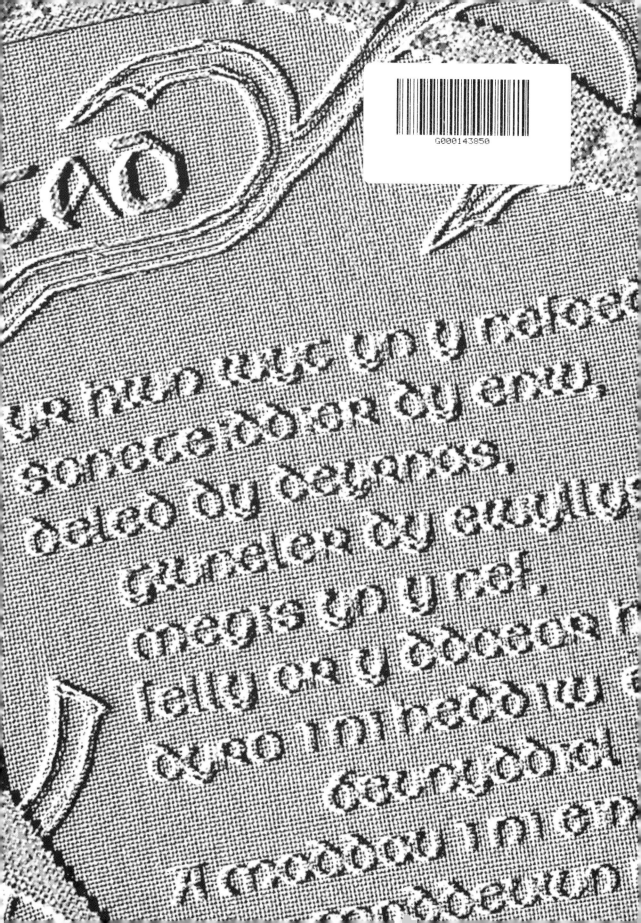

G000143850

PWYTHO PENNILL

DIOLCHIADAU

Hoffwn ddiolch i'r canlynol am eu cymorth:

Brenda Wyn Jones, Gwyneth Jones,
Janet Jones, Meinir Lloyd Jones,
Enid G. Roberts, Haf Wilson,
Richard Roberts, Huw Gwyn, Nanw Williams,
Delyth a Rheinallt, Rhys a Siân, a Lefi
Gruffudd.

Hoffwn ddiolch hefyd i Les Burridge, Cricieth,
am fframio'r sampleri.

Argraffiad cyntaf: Tachwedd 1997

® Hawlfraint Y Lolfa Cyf. a Joyce Jones, 1997

Mae hawlfraint ar gynnwys y llyfr hwn ac y mae'n anghyfreithlon i
atgynhyrchu unrhyw ran ohono (ar wahân i bwrpas personol, anfasnachol) heb
ganiatâd ysgrifenedig y cyhoeddwyr ymlaen llaw.

Rhif Rhyngwladol: 086243 436 X

Cyhoeddwyd yng Nghymru
ac argraffwyd gan
Y Lolfa Cyf., Talybont, Ceredigion, SY24 5AP
e-bost ylolfa@ylolfa.com
y we http://www.ylolfa.com
ffôn (01970) 832 304
ffacs 832 782
isdn 832 813

Rhwymwyd gan Principal Bookbinders, Ystradgynlais

Pwytho Pennill

Mwy o Sampleri Cymreig

Joyce F. Jones

CYNNWYS

1. Deuparth Gwaith ... Cyfarwyddiadau

DEUPARTH GWAITH

Ym mhob un o'r cynlluniau sydd yn y llyfr yma rwyf wedi awgrymu pa ffabrig, edau a lliwiau i'w defnyddio. Ond mae pawb yn unigryw ac rwy'n siŵr y bydd rhai ohonoch yn awyddus i addasu er mwyn rhoi eich stamp personol chi eich hun ar y sampler. Dyna'n union beth rwyf yn ceisio ei annog wrth awgrymu dewis o wahanol liwiau ar gyfer y rhan fwyaf o'r prosiectau. Mae'r cyfarwyddiadau sy'n dilyn yn bennaf ar gyfer y rhai hynny ohonoch sydd heb brofiad o wneud croesbwyth o'r blaen, ond gobeithio bod yma ambell awgrym defnyddiol i'r gweddill ohonoch hefyd.

Pa ffabrig?

Gallwch ddefnyddio unrhyw ffabrig o wead gwastad, hynny yw, ffabrig â'r un nifer o edefion i'r fodfedd yn yr ystof a'r anwe. Gall hwn fod o unrhyw ffibr – lliain, cotwm, gwlân, ffabrig synthetig neu gymysgedd o'r rhain. Un peth pwysig i'w gofio yw y bydd darn o waith fel hyn yn cymryd oriau o'ch amser a'ch egni. Hefyd, disgwylir iddo oroesi sawl cenhedlaeth ac, felly, mae'n werth dewis ffabrig ac edau o'r ansawdd gorau posibl.

Mae natur ffabrig yn dibynnu ar nifer yr edefion sydd wedi eu nyddu i bob modfedd ohono. Gellir cael ffabrigau yn amrywio o 8 cyfrif (8 edau anwe ac 8 edau ystof i'r fodfedd), a hwnnw yw'r brasaf, hyd at 36 cyfrif, sef y meinaf un. Mae'n bosibl pwytho dros un grŵp o edefion (neu floc) os ydych yn defnyddio ffabrig bras fel *Aida* 14 cyfrif, neu dros ddwy edau os ydych yn defnyddio ffabrig meinach, fel lliain 28 cyfrif. Gallwch hefyd wneud gwaith mân a manwl iawn drwy bwytho dros un edau gyda ffabrig 28 cyfrif. Arbrofwch ar ddarnau o ffabrigau gwahanol eu cyfrif er mwyn penderfynu pa un yw'r rhwyddaf i chi weithio arno, gan gofio mai mwynhad yw'r gwaith i fod. Uchaf yn y byd yw cyfrif y gwead, yna lleiaf yn y byd fydd maint y pwyth a hefyd faint y gwaith gorffenedig. O'r ochr arall, os yw cyfrif y gwead yn isel, mwyaf yn y byd fydd maint y pwyth ac felly hefyd faint y gwaith gorffenedig.

Gan fod croesbwyth wedi dod mor boblogaidd yn y blynyddoedd diwethaf, mae'r dewis o ffabrigau sydd ar gael wedi ehangu a bellach mae'n bosibl ei gael mewn unrhyw liw bron. Dyma'r gwahanol fathau o ffabrigau sydd ar gael yn y siopau:

AIDA

Ffibr cotwm wedi ei nyddu mewn blociau o edau, yn cael ei bwytho dros un bloc o edau fel arfer. Mae ar gael mewn sawl cyfrif – 18, 16, 14, 11 ac 8 – ac ym mhob lliw bron. Er ei fod yn ffabrig rhwydd i weithio arno, nid yw'n foddhaol ar gyfer gwaith manwl iawn oherwydd na ellir gweithio ¾ croesbwyth arno'n llwyddiannus.

HARDANGER

Ffabrig cotwm o wead dwbl, a hynny'n ei wneud yn fwy cadarn na ffabrig o wead sengl. Mae ar gael mewn sawl lliw gyda gwead o 22 cyfrif. Enw ar ardal yn Norwy yw Hardanger, lle mae math arbennig o frodwaith yn cael ei weithio. Mae hwn yn cynnwys gwaith torri a gwaith unlliw sy'n dibynnu'n llwyr ar y math hwn o wead am ei lwyddiant.

LINDA
Ffabrig cotwm gyda gwead sengl o 28 cyfrif. Gellir ei gael mewn dewis eang o liwiau am bris rhesymol.

ANNABELLE
Ffabrig cotwm o 28 cyfrif. Gan fod trwch yr edau yn y gwead yn amrywio, ceir gorffeniad sydd yn debyg i liain, a hynny am hanner y pris. Mae hwn eto ar gael mewn nifer o wahanol liwiau.

QUAKER
Ffabrig 55% lliain a 45% cotwm, o 28 cyfrif. Mae'n ffabrig gwych i'w ddefnyddio ac ar gael mewn lliwiau bendigedig.

BRITTNEY
Ffabrig 28 cyfrif sydd yn 52% cotwm a 48% fisgos. Mae'n un hawdd iawn gweithio arno am fod y gwead mor gadarn.

LUGANA
Ffabrig 52% cotwm a 48% reion, o 25 cyfrif. Gan ei fod yn gyfuniad o gotwm a ffibr synthetig, mae iddo sglein sydd yn effeithiol iawn ar gyfer rhai prosiectau.

LLIAIN
Ffibr naturiol, ac ar hwn yr oedd y sampleri cynnar yn cael eu gweithio. Er bod gwead ffabrig o liain yn hollol wastad, ceir amrywiaeth yn nhrwch yr edau sydd yn gwneud iddo ymddangos yn anwastad. Eto, mae'n pwytho'n llyfn, ond gan ei fod yn ffibr naturiol ac yn anodd ei gynhyrchu, mae'n tueddu bod yn ddrud. Gellir ei

brynu dan wahanol enwau, yn dibynnu ar y cyfrif :

    EDINBURGH – 36 cyfrif
    BELFAST – 32 cyfrif
    CASHEL – 28 cyfrif
    DUBLIN – 25 cyfrif

Mae lliain fel arfer ar gael yn ei liw naturiol, wedi ei wynnu, neu wedi ei lifo i ychydig liwiau'n unig.

FFABRIG GWLÂN
Ffabrig gwlân o wead gwastad, un hyfryd i'w ddefnyddio ar gyfer croesbwyth. Mae'n arbennig o effeithiol os defnyddir edau wlanen arno, gan fod y ddau yn toddi i'w gilydd mor dda.

Pa edau?

Gallwch weithio croesbwyth mewn unrhyw edau, dim ond iddi fod o ansawdd da. Edau gyfrodedd gotwm a ddefnyddiwyd i bwytho'r rhan fwyaf o'r prosiectau yn y llyfr hwn. Mae chwe edefyn o gotwm sgleiniog mewn edau gyfrodedd ac fe'i gwerthir mewn cenglau wyth metr, ac mewn cannoedd o wahanol liwiau. Y ddau brif gwmni sy'n cynhyrchu edau gyfrodedd yw DMC ac *Anchor*. Yn bersonol, mae'n well o lawer gen i ddefnyddio edau DMC am fod y lliwiau yn llawer mwy meddal ac yn asio i'w gilydd yn well. Cofiwch ei bod yn anodd cynhyrchu'r union liw yn gyson wrth lifo, felly mae'n bwysig i chi brynu cenglau o'r un rhif yr un pryd er mwyn i'r lliw fod yn union yr un fath.

Bydd llawer yn gofyn i mi sawl edefyn i'w ddefnyddio ar gyfer gwneud croesbwyth. Mae hynny'n dibynnu mewn gwirionedd ar gyfrif y ffabrig, oherwydd os yw'r ffabrig yn fain a'r cyfrif yn uchel,

28 er enghraifft, yna bydd dau edefyn yn ddigon. Ond os ydych yn defnyddio ffabrig brasach, fel *Aida* 11, yna fe fydd angen tri edefyn arnoch. Mae'n bwysig peidio â defnyddio edau rhy drwchus, neu fe fydd y pwythau'n edrych yn glapiog. Dyma'r mathau eraill o edau sydd ar gael:

PERL COTWM
Mae hon ar gael mewn pedwar trwch: 3 (sef y mwyaf trwchus), a hefyd 5, 8 a 12. Caiff ei defnyddio i wneud gwaith unlliw, a gwaith torri a thynnu, lle mae'r tro a'r gloywder sydd yn yr edau yn adlewyrchu'r lliwiau ac yn rhoi mwy o fywyd i'r gwaith.

EDAU FLODAU
Edau o un edefyn heb sglein arni yw hon a gellir ei defnyddio mewn prosiect i greu effaith hynafol.

EDAU WLÂN CREWEL
Edau denau sydd yn pwytho'n hyfryd ar wlanen o wead gwastad.

EDAU FETALIG
Mae nifer o wahanol fathau o'r rhain ar gael a gwell fyddai i chi arbrofi cyn eu defnyddio mewn darn o frodwaith. Nid yw'n edau hawdd ei defnyddio ac felly rhaid cymryd pwyll a gofal wrth weithio gyda hi. Mae'n well pwytho pob pwyth mewn dau gam, gan daro'r nodwydd drwy'r ffabrig bob tro rhag i'r metel ddal ynddo. Am yr un rheswm, peidiwch â defnyddio darn o edau sydd yn hwy na 12 modfedd.

Os cewch chi anhawster i roi edau fetalig drwy nodwydd, beth am lapio darn tenau o bapur dros yr edau cyn ceisio ei gwthio drwy'r crai? A chofiwch beidio byth â smwddio edau fetalig heb roi cadach rhwng yr haearn smwddio a'r gwaith ei hun.

Pa offer?

NODWYDDAU
Rhaid defnyddio nodwyddau tapestri di-fin er mwyn osgoi hollti gwead y ffabrig. Mae'r rhain ar gael o faint 14 hyd faint 26, a nodwydd 26 yw'r un deneuaf. Gorau po feinaf y nodwydd a ddefnyddiwch, gan y bydd yn hwyluso'r pwytho ac yn peidio â gadael ei hôl ar y ffabrig. Cofiwch, hefyd, fod nodwydd yn gwisgo wrth weithio drwy'r ffabrig dro ar ôl tro, ac y bydd angen un newydd arnoch yn eithaf aml rhag i'r edau ddangos ôl traul.

SISWRN
Bydd angen siswrn bach pigfain arnoch i dorri'r edau. Os nad yw'r siswrn yn un miniog fe fydd yn cnoi'r edau ac yn gwneud cefn y gwaith yn flêr, a bydd hyn yn amharu ar orffeniad y brodwaith. Yn anffodus bydd gofyn defnyddio blaen y siswrn weithiau i ddatod pwythau anghywir – *cofiwch wneud hyn yn ofalus iawn!*

FFRÂM
Penderfyniad hollol bersonol fydd defnyddio ffrâm neu beidio â gwneud hynny. Nid oes raid rhoi gwaith ar ffrâm os yw gwead y ffabrig yn gadarn, ond mae'n rhaid gwneud yn siŵr fod y pwytho'n llyfn ac nad yw'n cael ei dynnu mewn unrhyw ffordd.

GOLAU

Mae golau da yn gwbl angenrheidiol ac ar y cychwyn bydd yn well pwytho yng ngolau dydd, neu yng ngolau lamp arbennig gyda bwlb glas sydd yn gallu cynhyrchu golau tebyg iawn i olau dydd. Os ydych yn cael trafferth i weld y pwythau, yna bydd chwyddwydr o gymorth mawr. Fe gewch rai sydd yn crogi o'r gwddf neu rai yn sefyll ar stand, ac mae'n bosibl cael rhai â golau ynddyn nhw hefyd. Os gofalwch bwytho mewn golau da bob amser, yna ni wnaiff y gwaith yma amharu ar eich golwg.

Pa bwythau?

CROESBWYTH

Dyma'r pwyth mwyaf poblogaidd o blith yr holl bwythau a ddefnyddir mewn sampleri heddiw. Gallwch weithio hwn mewn dwy ffordd:

a) gan bwytho pob pwyth yn gyflawn cyn mynd ymlaen i'r nesaf, fel hyn:

(i)

Ffabrig *Aida* dros un bloc

(ii)

Ffabrig *Linda* dros 2 edau

neu b) gan bwytho colofn neu res o hanner pwythau cyn gweithio'n ôl i groesi pob pwyth, fel hyn:

(i)

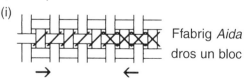

Ffabrig *Aida* dros un bloc

(ii)

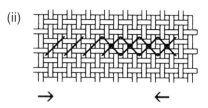

Ffabrig *Linda* dros 2 edau

Does dim gwahaniaeth pa ddull a ddefnyddiwch, ond mae'n bwysig croesi pob pwyth yn yr un ffordd ac i'r un cyfeiriad, er mwyn i'r tensiwn fod yn union a'r pwythau'n llyfn.

PWYTH ¾

Dynodir y pwyth hwn ar y siart fel triongl ac mae ei angen er mwyn cael siâp gwell ar y cynllun. Mae hwn yn cael ei weithio gyda'r un lliw edau â'r pwyth nesaf ato. Mae rhan gyntaf y pwyth yn cael ei weithio o ganol yr edau neu'r bloc i'r gornel (a), a'r ail ran fel hanner pwyth croes (b), Gellir gweithio'r pwyth yma i un o bedwar cyfeiriad (c). Pan fo angen gweithio dau bwyth tri chwarter gyda'i gilydd defnyddir yr un twll canol gan weithio dros ofod un pwyth croes (ch).

(a) rhan gyntaf pwyth ¾

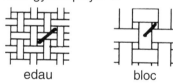

edau   bloc

(b) ail ran pwyth ¾

edau   bloc

(c) pedwar cyfeiriad edau

edau

(ch) 2 bwyth ¾ yn yr un sgwâr

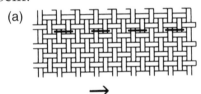

edau

PWYTH HOLBEIN

Pwyth rhedeg dwbl yw hwn, sef pwyth rhedeg cyffredin sydd yn cael ei weithio o'r chwith i'r dde (a) ac yna'n cael ei lenwi i mewn o'r dde i'r chwith (b). Er ei fod yn debyg i bwyth ôl, mae'n llawer mwy taclus a gwastad a dylai edrych yn union yr un fath ar ddwy ochr y ffabrig. Gellir gweithio'r pwyth yma ar draws, i fyny, i lawr neu'n groeslinol. Roedd yn arfer cael ei ddefnyddio i addurno dillad yn oes y Tuduriaid a chafodd yr enw 'Holbein' am ei fod yn ymddangos yn aml ac yn amlwg yng ngwaith yr arlunydd enwog, Hans Holbein.

(a)

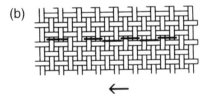

→

(b)

←

PWYTH SIDAN

Pwythau syth sydd yn cael eu gweithio yn agos at ei gilydd. Mae'n bwysig peidio â thynnu'r pwyth wrth ei weithio, ond yn hytrach sicrhau bod yr edau yn gorwedd yn wastad ar wyneb y ffabrig.

Pa liwiau?

Mae dewis lliwiau yn beth hollol bersonol. Rwyf wedi awgrymu dewisiadau o liwiau ar gyfer pob prosiect, ond nid oes raid cadw at y lliwiau arbennig hyn fel arfer. Cyn i chi benderfynu'n derfynol pa liwiau i'w defnyddio, rhaid ystyried ble mae'r gwaith yn mynd i gael ei arddangos, gan gyfuno'r lliwiau â lliwiau'r ystafell. Mae graddau gwahanol o'r un lliw mewn prosiect yn aml iawn yn fwy effeithiol nag amrywiaeth o liwiau gwahanol. Dewiswch liw fydd yn cyfrannu'n sylweddol at undod a chydnawsedd y gwaith gorffenedig. Da o beth fyddai cadw cofnod o'r cyfuniadau lliw sydd yn llwyddiannus ac yn apelio atoch, er mwyn eu defnyddio eto yn y dyfodol.

Cofiwch ddewis eich ffabrig a'ch edau gyda'i gilydd, gan y gall lliwiau'r edau edrych yn wahanol ar gefndir o wahanol liw. Gwnewch y dewis yma yng ngolau dydd bob amser os yw'n bosibl, gan fod golau artiffisial yn gallu newid lliwiau. Mae'n well hefyd i chi brynu'r edau i gyd gyda'i gilydd er mwyn gwneud yn siŵr fod y llifo'n gyson ym mhob cengl.

Sylwch fod lliwiau'r edau sy'n cael ei defnyddio fwyaf yn y siartiau unigol wedi eu gosod uchaf ar y rhestr lliwiau bob tro.

DECHRAU GWEITHIO

Paratoi'r ffabrig

1. Gwnewch yn siŵr fod y darn ffabrig rydych am ei ddefnyddio yn ddigon mawr ar gyfer eich cynllun. Fe gewch amcan o faint gorffenedig pob prosiect yn y cyfarwyddiadau ar gyfer y prosiect hwnnw, ond os ydych am ddefnyddio ffabrig o wead mwy mân neu fwy bras, yna bydd gofyn i chi fesur faint yn union o hwnnw y bydd ei angen arnoch. Gallwch wneud hyn trwy rannu nifer y pwythau sydd ar y siart â nifer yr edefion i'r fodfedd yn eich ffabrig chi. Cofiwch fod un sgwâr ar y siart yn cyfateb i un pwyth.

e.e. Mae'r ddraig ar y siart yn 22 pwyth i fyny a 28 pwyth ar draws.

Felly, os ydych yn pwytho ar ffabrig *Aida* 14 cyfrif, a thros un bloc o edefion, mae'n gweithio fel hyn:

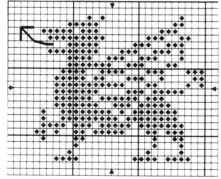

22 ÷ 4 = tua 1½ modfedd o hyd

28 ÷ 14 = 2 fodfedd o led

Ond os ydych yn gweithio ar ffabrig *Linda* gyda 28 cyfrif ac yn gweithio dros ddwy edau, yna rhaid rhannu'r 28 â 2 i gael y nifer cywir o bwythau i'r fodfedd.

2. Gadewch tua phedair modfedd ychwanegol o ffabrig o amgylch y cynllun er mwyn gallu ei orffen yn hwylus, ond bydd hyn yn dibynnu ar faint y cynllun ei hun wrth gwrs. Po leiaf y cynllun, yna lleiaf yn y byd o ffabrig y bydd angen i chi ei adael o'i amgylch.

3. Ymylwch y ffabrig â pheiriant gwnïo neu â phwythau llaw rhag iddo raflo. Yna smwddiwch unrhyw grychiadau ohono cyn dechrau pwytho.

4. Marciwch ganol y ffabrig trwy ei blygu yn ei hanner ac yna yn ei hanner eto. Wedi dod o hyd i'r canol, gweithiwch linell o bwythau rhedeg at i fyny ac at i lawr, ac yna i'r ddwy ochr. Gan ddechrau o'r canol gofalwch weithio pob pwyth dros ddeg edau, gan y bydd hyn yn gymorth mawr i chi pan fyddwch yn cyfri'r edefion i drosglwyddo'r patrymau o'r siart i'r ffabrig.

5. Gan ddefnyddio edau o liw amlwg, gweithiwch res o hanner pwythau, sef rhan gyntaf y pwyth croes, yn un gongl i'r ffabrig. Bydd hyn yn eich atgoffa pa ffordd rydych yn croesi pan fyddwch yn gorfod troi'r gwaith wrth bwytho.

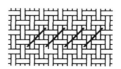

Paratoi'r edau

1. Paratowch 'drefnydd edau' newydd ar gyfer pob prosiect trwy wneud tyllau crwn mewn darn o gerdyn plaen. Yna ysgrifennwch rif pob edau y byddwch yn ei defnyddio wrth ochr y tyllau ar y cerdyn, fel hyn:

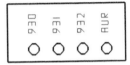

2. Torrwch y cenglau o edau gyfrodedd yn ddarnau 30 modfedd o hyd a'u clymu ar y cerdyn yn ôl eu rhif.

Casglu'r offer

1. Mae'n syniad da casglu popeth y bydd ei angen arnoch i weithio prosiect arbennig ynghyd mewn bocs neu fasged – siart graff, ffabrig, trefnydd edau, nodwydd, siswrn, a sbectol hefyd os oes angen un arnoch.

2. I baratoi patrwm graff o'r llyfr hwn, gwnewch lungopi o'r siart rydych wedi ei dewis a'i chwyddo i'r maint mwyaf cyffordus i chi ei dilyn. Lliwiwch y symbolau i gyd-fynd â'ch dewis chi o liwiau. Mae hyn nid yn unig yn hwyluso darllen y siart, ond hefyd yn rhoi syniad i chi sut y bydd y gwaith yn edrych wedi ei orffen.

3. Cofiwch fod un sgwâr o'r papur graff yn cyfateb i un pwyth a hwnnw'n cael ei weithio dros ddwy edau os yw'r ffabrig o wead gwastad, neu dros un bloc, sef bloc o edefion, mewn *Aida*.

4. Dechreuwch weithio gyda'r pwyth mwyaf canolog yn y cynllun. Cofiwch bwytho'n gyson i'r un cyfeiriad, er mwyn cael gorffeniad llyfn.

5. Os ydych yn gweithio gyda dau edefyn, yna tynnwch un edefyn 30 modfedd o'r trefnydd, ei blygu'n ddau a thynnu'r ddau ben drwy'r nodwydd gyda'i gilydd. Yna, wedi i chi wneud yr hanner pwyth cyntaf, bydd gennych ddolen ar ochr chwith y ffabrig i yrru'r nodwydd drwyddi. Mae hon yn ffordd dda o angori'r edau a dechrau'n daclus.

6. Os ydych yn gweithio gyda thri edefyn, gadewch gynffon yr edau ar wyneb y ffabrig (a). Pwythwch ran gyntaf y croesbwyth o'r chwith i'r dde ac yna groesi'r pwythau o'r dde i'r chwith (b). Wedi i chi orffen pwytho bloc neu res o'r un lliw, angorwch yr edau y tu ôl i'r pwythau ar ochr chwith y defnydd (c). Yna torrwch y gynffon yn agos at y ffabrig er mwyn cadw'r gwaith yn daclus.

(a)
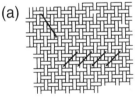

(b)
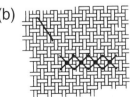

(c)

7. Mae'n bwysig gwahanu'r edau fesul edefyn, er mwyn cael pwythau llyfn.

8. Peidiwch â chario edau dros fwy na dwy edau o'r ffabrig, gan y gall hyn dynnu siâp y ffabrig a hefyd effeithio ar densiwn y pwytho.

Deg pwynt pwysig

Mwynhad yw'r gwaith i fod, ffordd o ymlacio a chreu, ond er mwyn cael gwaith graenus mae'n rhaid dilyn rhai rheolau:

1. Cofiwch olchi eich dwylo cyn dechrau pwytho a chadwch eich ffabrig a'ch edau gyda'i gilydd mewn lle glân. Mae'n syniad da rholio'r ffabrig o amgylch rholyn o gerdyn sydd wedi ei orchuddio â phapur sidan, ac yna lapio'r cyfan mewn lliain glân. Mae hyn nid yn unig yn ei gadw rhag ei faeddu, ond hefyd yn ei arbed rhag crychu.

2. Os bydd rhaid golchi'r darn brodwaith ar ôl i chi ei orffen, yna defnyddiwch sebon a dŵr claear, gan wneud yn siŵr eich bod yn ei swilio nes bydd y dŵr yn rhedeg yn glir. Peidiwch â phoeni os bydd y lliwiau'n rhedeg, dim ond dal i'w swilio mewn dŵr claear. Peidiwch â gwasgu'r ffabrig gwlyb, ond ei rolio mewn tywel gwyn glân a'i sychu'n naturiol.

3. Cofiwch dwtio pob cynffon edau yn syth ar ôl ei hangori, neu fe fydd yn gweithio'i hun i'r pwyth nesaf bob tro. Peidiwch â chario edau dros fwy na dwy edau o'r ffabrig, neu fe fydd yn andwyo siâp y gwaith. Gall hefyd ddangos drwy'r ffabrig wedi iddo gael ei dynnu i'w siâp a'i fframio.

4. Os bydd rhaid datod pwythau, yna defnyddiwch siswrn pigfain neu bliciwr pwrpasol. Byddwn yn eich cynghori i beidio byth â defnyddio rhwygwr sêm, rhag i chi gael damwain erchyll!

5. Gadewch i'r nodwydd hongian i lawr o'r gwaith o bryd i'w gilydd, er mwyn dadblethu'r edau a'i chael i orwedd yn wastad. Bydd yn pwytho'n daclusach ac yn gorwedd yn llyfnach os na fydd tro ynddi.

6. Cofiwch y gall nodwydd sydd wedi ei gadael mewn ffabrig ei farcio â marc rhwd, felly cadwch eich nodwyddau gyda'i gilydd mewn cas.

7. Meddyliwch am y gwaith fel creu llun ar y ffabrig â phaent, gan ofalu peidio â thynnu'r pwythau yn rhy dynn neu fe fydd y pwytho'n anwastad a gwneir tyllau yn y ffabrig.

8. Cofiwch fod edau sydd wedi ei datod yn ddi-sglein ac felly ni ddylech ei hailddefnyddio.

9. Peidiwch byth â defnyddio cwlwm i angori'r edau. Nid yw'n ddigon diogel ac ni fydd yn rhoi gorffeniad llyfn i'r gwaith.

13

10. Pan fyddwch yn ailgydio yn eich brodwaith ar ôl ei adael am sbel, gweithiwch res o bwythau, un ai ar waelod y ffabrig neu ar ddarn sbâr ohono, er mwyn dod yn ôl i rythm y pwytho. Yna fe fydd eich tensiwn yn fwy gwastad a'r pwytho'n fwy llyfn.

Gorffen y gwaith

Rydych wedi gorffen y pwytho, ond cyn cadw'r edau a'r nodwydd, edrychwch dros y gwaith â llygaid barcud. Mae'n syndod mor hawdd yw gadael darn o'r cynllun heb ei bwytho, neu adael llythyren allan o air. Taenwch y brodwaith dros gefn cadair am ychydig, gan edrych arno'n fanwl o bryd i'w gilydd a gofyn i'r teulu ac i ffrindiau wneud yr un peth.

Mae'n amser rŵan i arwyddo'r campwaith a'i ddyddio, ac mae'n bwysig gwneud hyn er mwyn y cenedlaethau a ddaw! Awgrymaf hefyd i chi dynnu llun camera o'r brodwaith wedi i chi ei orffen, gan fod hon yn ffordd hwylus o gofnodi eich gwaith ac yn ysbrydoliaeth ar gyfer prosiectau eraill yn y dyfodol.

Os buoch yn ofalus gyda'r brodwaith, yna ni fydd angen i chi ei olchi. Ond os oes unrhyw amheuaeth ynglŷn â glendid y gwaith, yna dylech yn sicr ei olchi. Gofalwch ei fod yn hollol sych cyn mynd ati i'w smwddio. Pan fyddwch yn smwddio, rhowch y gwaith wyneb i waered ar liain trwchus, gyda chadach tenau, glân drosto. Peidiwch â phwyso'n ormodol a defnyddiwch haearn cynnes, nid un rhy boeth. Cofiwch y gall gormod o smwddio bylu'r brodwaith.

Mae'r dull o orffen gwaith yn dibynnu ar natur y prosiect wrth gwrs. Efallai y byddwch yn penderfynu troi darn o waith yn glustog neu ei fframio'n llun. Bydd awgrymiadau yn cael eu nodi ar gyfer hyn gyda phob un o'r prosiectau sydd yn y llyfr hwn.

Fframio

Mae eich brodwaith wedi cymryd oriau o lafur i'w greu, heb sôn am gostau'r defnyddiau crai, felly mae'n werth gwario tipyn o amser ac arian ar y fframio. Cymerwch amser i ddod o hyd i fframiwr rydych yn hapus â'i waith. Does dim rhaid cael ffrâm wedi'i gwneud yn arbennig, wrth gwrs, gan y gallwch brynu un o siop os oes rhai o'r maint cywir ar gael. Gyda darnau bach o frodwaith mae'n bosibl defnyddio ffrâm ffotograff.

Gosod y brodwaith ar gerdyn

Bydd angen:
- cerdyn mowntio nad yw'n asidig (ar gael mewn siop lyfrau/arlunio);
- darn o bren yn sylfaen i dorri arno;
- cyllell Stanley;
- pren mesur;
- edau gref, fel un ar gyfer crosio.

1. Mesurwch y tu mewn i'r ffrâm sydd gennych, neu penderfynwch beth fydd union faint tu mewn y ffrâm sy'n cael ei gwneud ar eich cyfer. Er mwyn canoli'r brodwaith yn y ffrâm, rhaid gweithio sgwâr neu hirsgwar o bwythau rhedeg o amgylch y cynllun, yn dibynnu ar ei siâp. Rhaid cyfrif edefion y ffabrig i wneud yn siŵr fod y pwythau hyn yr un pellter yn union i ffwrdd o'r cynllun ei hun yr holl ffordd o'i

amgylch. Mae hyn yn helpu'r fframiwr i sicrhau bod y cynllun yn cael ei ganoli yn y ffrâm.

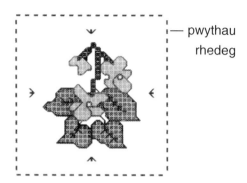

— pwythau rhedeg

2. Mesurwch ddarn yn union yr un siâp â'r pwythau rhedeg ar y cerdyn a'i farcio â phensil. Yna defnyddiwch y gyllell a'r pren mesur i'w dorri allan o'r cerdyn. Ni ddylai'r darn cerdyn hwn ffitio'n rhy dynn i mewn i'r ffrâm, neu ni fydd lle ar ôl i'r ffabrig.

3. Rhowch y brodwaith wyneb i waered ar fwrdd glân a lleoli'r cerdyn yn gywir oddi mewn i'r pwythau rhedeg. Plygwch y ffabrig o amgylch y cerdyn a throi'r cyfan i'ch wynebu er mwyn gwneud yn siŵr ei fod wedi ei leoli'n gywir. Sythwch ef os oes angen.

4. Gan ddechrau gyda'r ymyl uchaf, rhowch binnau i mewn yn ymyl y cerdyn i gadw'r ffabrig yn ei le. Gofalwch na fydd crych ynddo. Yna gwnewch yr un fath â'r ymyl isaf. Clymwch y ddau ymyl i'w gilydd gan ddefnyddio edau gref. Fe fydd angen darn eithaf hir o edau i wneud hyn yn iawn.

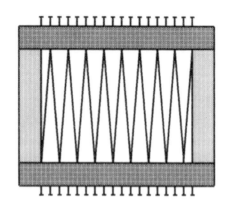

5. Piniwch y ddau ymyl arall yn yr un modd, a'u clymu.

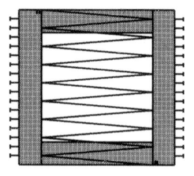

6. A dyna ni! Mae'r brodwaith yn barod i'w fframio. Cofiwch beidio â'i hongian lle y caiff niwed gan yr haul.

Mowntio mewn cerdyn cyfarch

1. Gan mai darn bach o frodwaith sy'n cael ei roi mewn cerdyn, nid oes raid i chi ei olchi fel arfer, ond gwnewch yn siŵr ei fod yn lân a heb grychiadau ynddo.

2. Smwddiwch ddarn o 'Vilene' ar gefn y brodwaith, er mwyn rhoi mwy o afael iddo.

3. Lleolwch y brodwaith yng nghanol ffrâm y cerdyn, gan gofio dal y cerdyn y ffordd iawn. Fe fydd mwy o ddyfnder o dan y twll ar gyfer y llun nag uwch ei ben fel arfer.

15

4. Torrwch y ffabrig ¼ modfedd yn llai na'r cerdyn, gan sicrhau bod y cynllun yn y canol.

5. Gludiwch o amgylch twll y ffrâm yn y cerdyn i led o ¼ modfedd, gan ddefnyddio glud pwrpasol ar gyfer ffabrig, e.e. Pritt. Cymerwch ofal nad aiff y glud dros yr ymyl.

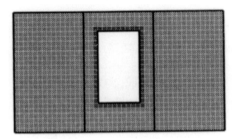

6. Canolwch y ffabrig ar y cerdyn gan bwyso'n ofalus o amgylch twll y ffrâm er mwyn sicrhau ei fod wedi glynu'n dynn.

7. Ar ochr chwith y cerdyn glynwch Selotep dwyochrog o amgylch y pedair ochr.

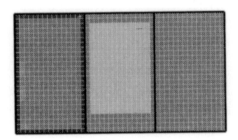

8. Yna plygwch y cerdyn dros y ffabrig a rhedeg eich bys o'i amgylch i sicrhau ei fod wedi glynu'n dynn.

Darllen y siartiau

Oherwydd maint y siartiau maent wedi eu hargraffu ar fwy nag un dudalen, ac mae'r darnau sydd yn y cysgod yn gorgyffwrdd â'i gilydd.

Mae enwau a rhifau y lliwiau a ddefnyddir ym mhob cynllun wedi eu rhestru, gan ddechrau gyda'r rhai a ddefnyddir fwyaf.

Rwyf yn ymwybodol fod ychydig o amrywiaeth rhwng rhai lluniau a'r siartiau. Rwyf yn eich sicrhau mai gwelliannau ydynt.

II. Enghreifftiau Lliw Llawn o Sampleri

Croeso

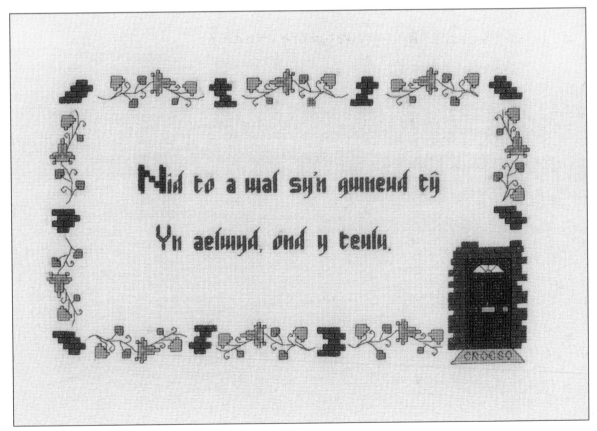

Cartref Newydd

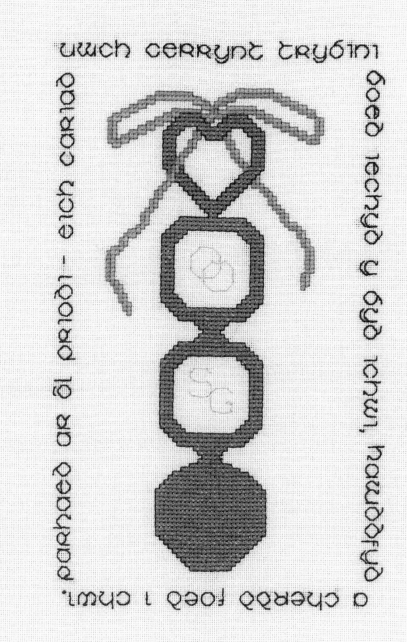

Llwy Garu

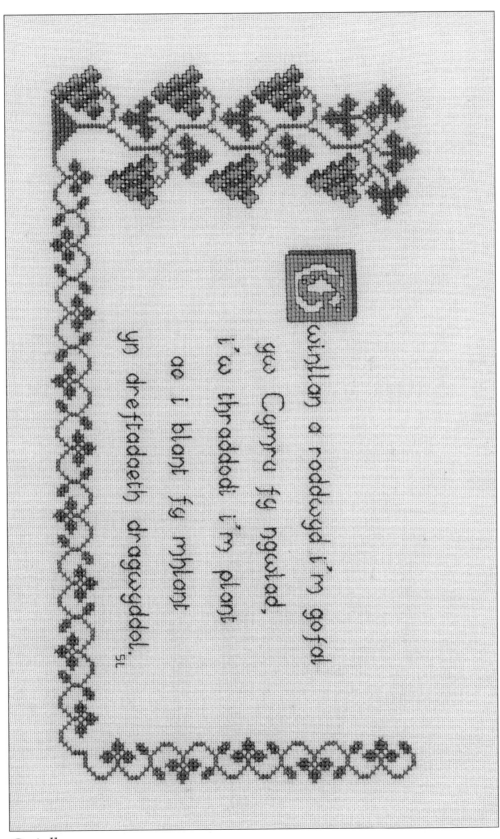

Gwinllan

Fuost ti erioed yn morio ...

Tŷ Lego

Y Gwanwyn

Yr Haf

Yr Hydref

Y Gaeaf

Dyro i ni heddiw

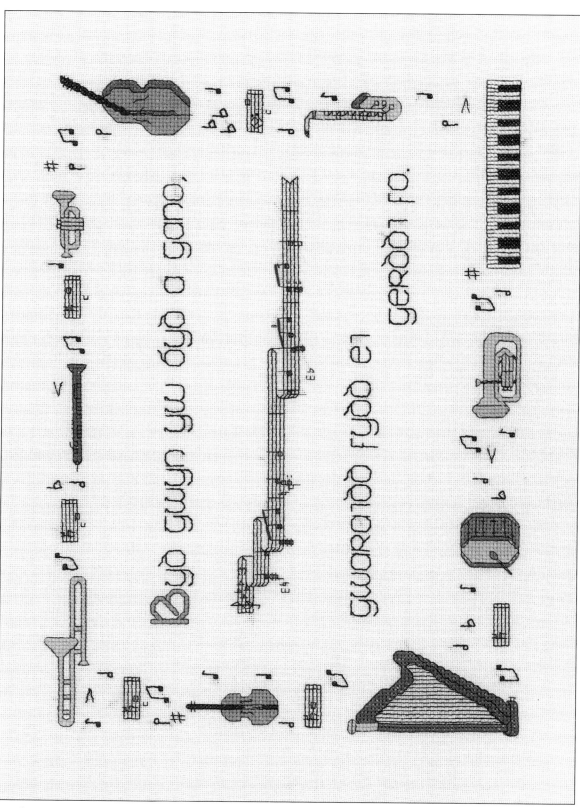

Byd Gwyn …

Gwyn Fyd yr Adar

Diofal yw'r aderyn,
    Ni hau, ni fed un gronyn,
    Heb ddim gofal yn y byd,
    Ond canu ar hyd y flwyddyn.

        Eistedda ar y gangen
            Gan edrych ar ei aden,
        Heb un geiniog yn ei god,
            Yn llywio a bod yn llawen.

Fe fwyty'i swper heno,
    Ni ŵyr ymhle mae'i ginio,
    Dyna'r modd y mae o'n byw
    A gad i Dduw arlwyo.

                HEN BENILLION

Gwyn Fyd yr Adar

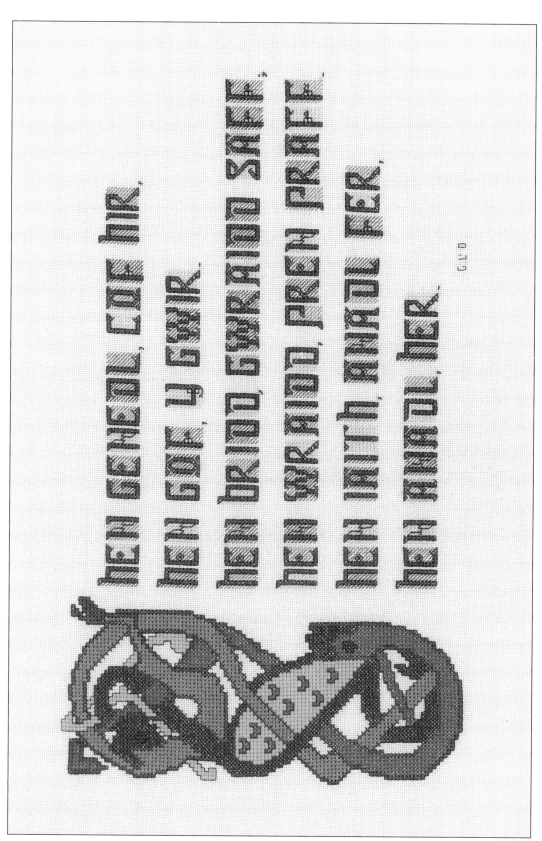

HEN GENEDL, COF HIR,
HEN GOF U GWIR.
HEN DRIDD GWRAIDD SAFF.
HEN WRAIDD, PREN PRAFF.
HEN IAITH, ANADL FER,
HEN ANADL HER.

GTG

Hen Genedl

27

Ein Tad

yr hwn wyt yn y nefoedd,
sancteiddier dy enw,
deled dy deyrnas,
   guneler dy ewyllys,
   megis yn y nef,
   felly ar y ddaear hefyd.
   dyro i ni heddiw ein bara
      beunyddiol
   A maddau i ni ein dyledion,
   fel y maddeuwn ninnau i'n
      dyledwyr.
Ac nac arwain ni i brofedigaeth;
eithr gwared ni rhag drwg.
Canys eiddot ti yw y deyrnas,
a'r nerth, a'r gogoniant,
   yn oes oesoedd.

      AMEN

Gweddi'r Arglwydd

28

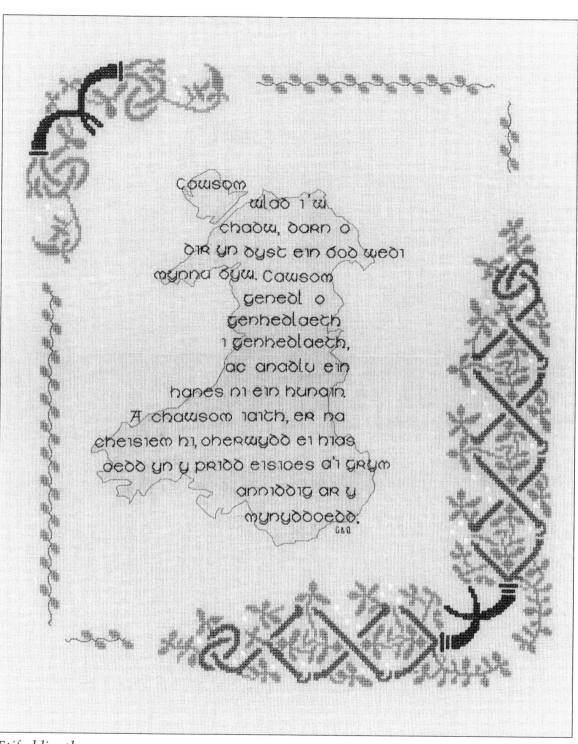

Cawsom wlad i'w chadw, darn o dir yn dyst ein bod wedi mynnu byw. Cawsom genedl o genhedlaeth i genhedlaeth, ac anadlu ein hanes ni ein hunain. A chawsom iaith, er na cheisiem hi, oherwydd ei hias oedd yn y pridd eisoes a'i grym anniddig ar y mynyddoedd.

Etifeddiaeth

ABC

III. Y Cynlluniau

1. Croeso

Mae hwn yn gynllun syml a hawdd ei weithio ac yn un addas iawn ar gyfer y rhai hynny ohonoch sydd heb fod yn gweithio mewn croesbwyth o'r blaen. Wedi ei fframio a'i hongian ar y wal yng nghyntedd tŷ, mae'n edrych yn effeithiol iawn ac yn gwneud anrheg dderbyniol i'w rhoi i rywun sydd wedi symud i dŷ newydd.

MAINT GORFFENEDIG Y CYNLLUN
13 ¼" x 4"

BYDD ANGEN
- ffabrig *Linda* lliw *Ivory* 28 cyfrif, maint 19" x 10"
- nodwydd dapestri 26/24
- edau DMC
- defnyddiwch y lliwiau a gynrychiolir gan y symbolau isod:

		DMC
◪	melyngoch tywyll	355
✚	aur hynafol canolig	3821
	gwyrdd ewyn y môr	501

I DDILYN Y SIART
Mae pob sgwâr ar y siart = 2 edau o'r ffabrig = 1 pwyth.

PWYTHAU A DDEFNYDDIR
Croesbwyth a phwyth Holbein.

I BWYTHO
Defnyddiwch ddau edefyn 3821 yn y nodwydd i bwytho'r ddau gwlwm yn y corneli. I bwytho'r llythrennau defnyddir dau edefyn o 355, ac un edefyn o'r un lliw sydd ei angen i amlinellu'r llythrennau. Mae angen tri edefyn 501 i weithio'r pwyth Holbein sydd yn creu'r border.

LLIWIAU ERAILL
- ffabrig *Quaker* lliw *Sand* ac edau DMC 920 931 898 neu 919 435 838
- ffabrig *Brittney* lliw *Mushroom* ac edau DMC 611 3328 898 neu 3052 223 221.

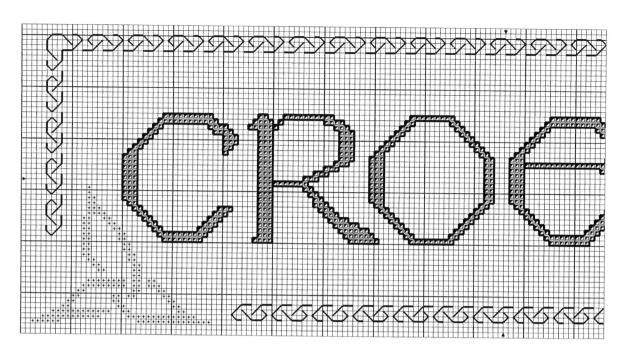

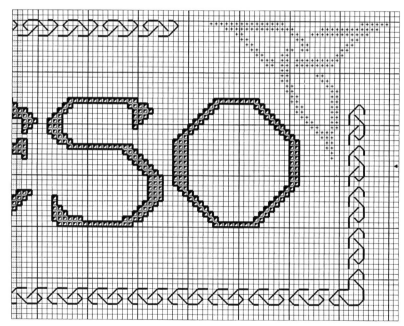

2. LLWY GARU

Parhaed ar ôl priodi – eich cariad
Uwch cerrynt trybini,
Boed iechyd y byd ichwi,
Hawddfyd a cherdd foed i chwi.

(GERAINT LLOYD OWEN)

Dyma anrheg addas ar gyfer priodas neu ben-blwydd priodas arbennig. Mae llythrennau cyntaf enwau'r pâr sy'n dathlu wedi eu gweithio yn y canol, ynghyd â dwy fodrwy. Yna fe bwythwyd yr englyn i greu border diddorol. Gallwch bwytho'r llwy ag edau o'r un lliw â gwisgoedd y morynion priodas, neu mewn lliwiau rhuddem neu aur i ddathlu pen-blwydd priodas arbennig. Mae'r cynllun hwn eto yn effeithiol iawn wedi ei bwytho mewn graddliwiau gwahanol o'r un lliw. Os penderfynwch wneud hynny, cofiwch ddefnyddio'r lliw mwyaf tywyll i bwytho'r border.

MAINT GORFFENEDIG Y CYNLLUN
6" x 10"

BYDD ANGEN
– ffabrig *Jubilee* lliw *Blue Grey* 28 cyfrif, maint 12" x 16"
– nodwydd dapestri 26/24
– edau DMC
– defnyddiwch edau o'r lliwiau a gynrychiolir gan y symbolau isod:

		DMC
▶▶	glas hynafol canolig	931
⠂⠂	glas hynafol golau	932
◆	lliw cragen binc tywyll	223
	glas hynafol tywyll	930

I DDILYN Y SIART
Mae pob sgwâr ar y siart = 2 edau o'r ffabrig =1 pwyth.

PWYTHAU A DDEFNYDDIR
Croesbwyth a phwyth Holbein.

I BWYTHO
Defnyddiwch ddau edefyn i weithio'r croesbwyth a'r ysgrifen, gweithiwch yr englyn mewn pwyth Holbein lliw 930, yna defnyddiwch liw 931 i bwytho'r llwy garu, a'i hamlinellu gydag un edefyn o liw 930 mewn pwyth Holbein. Pwythwch lythrennau'r enwau a'r modrwyau gyda dau edefyn o aur mewn pwyth Holbein. Defnyddiwch liw 932 a lliw 223 i bwytho'r rhuban gan ei amlinellu ag un edefyn o 932.

LLIWIAU ERAILL
– ffabrig *Quaker* 28 cyfrif, lliw *Ash Rose* ac edau DMC 221 223 224 3042 neu
– ffabrig *Quaker* 28 cyfrif, lliw Hufen ac edau DMC 434 783 522 524

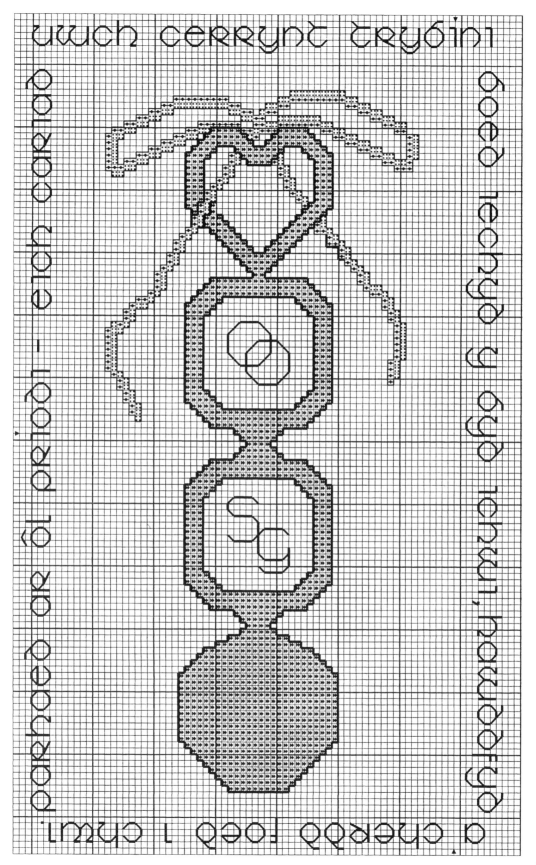

35

3. GWINLLAN

Gwinllan a roddwyd i'm gofal
yw Cymru fy ngwlad,
i'w thraddodi i'm plant
ac i blant fy mhlant
yn dreftadaeth dragwyddol.

(Buchedd Garmon – SAUNDERS LEWIS)

Bu'r cynllun hwn yn boblogaidd iawn fel pecyn a phenderfynais ei gynnwys yma er mwyn i bawb gael cyfle i'w weithio. Mae'n gwneud anrheg addas iawn ar gyfer amrywiol achlysuron – i rieni ar enedigaeth plentyn, er enghraifft, neu i ddathlu pen-blwydd arbennig neu ben-blwydd priodas. Y llinellau adnabyddus o ddrama Saunders Lewis sydd wedi awgrymu patrwm y border a hefyd y lliwiau gwyrdd a phorffor i gyfleu'r winwydden a'i ffrwythau. Felly nid wyf am gynnig lliwiau eraill y tro hwn, ond mae'r patrwm sydd yn rhedeg i lawr yr ochr dde ac ar hyd y gwaelod yn un syml ac effeithiol, un y gellid ei ddefnyddio fel border mewn lliw gwahanol i ryw bwrpas arall.

MAINT GORFFENEDIG Y CYNLLUN

12 ¾" x 6 ½"

BYDDWCH ANGEN

- ffabrig *Linda* lliw *Ivory* 28 cyfrif, maint 16" x 11"
- nodwydd dapestri 26/24
- edau DMC
- defnyddiwch edau o'r lliwiau a gynrychiolir gan y symbolau isod:

		DMC
◁	gwyrdd ewyn y môr canolig	502
▶	fioled hynafol tywyll	3740
◪	fioled hynafol golau	3042
⋀	fioled hynafol canolig	3041

I DDILYN Y SIART

Mae pob sgwâr ar y siart = 2 edau o'r ffabrig = 1 pwyth.

PWYTHAU A DDEFNYDDIR

Croesbwyth a phwyth Holbein.

I BWYTHO

Defnyddiwch ddau edefyn o 502 i weithio'r border mewn pwyth croes. Yna gweithiwch y pennill mewn pwyth Holbein yn y lliw fioled tywyll 3740, gan ddefnyddio dau edefyn yma eto. Defnyddiwch ddau edefyn o 3042 ac hefyd 3041 i weithio'r grawnwin mewn croesbwyth. Amlinellwch y grawnwin mewn pwyth Holbein o'r un lliw, sef 3740, ond gan ddefnyddio un edefyn y tro hwn. Defnyddiwch un edefyn o 3740 i amlinellu'r briflythyren G.

winllan a roddwg

yw Cymru fy ng

i'w thraddodi i'm

ac i blant fy ml

yn dreftadaeth dra

gyd i'm gofal

gwlad,

plant

nhlant

agwgddol.

4. FUOST TI ERIOED YN MORIO ...

'Fuost ti erioed yn morio?'
'Wel do mewn padell ffrio,
Chwythodd y gwynt fi i'r Eil O Man
A dyna lle bûm i'n crio.'

Rwyf wedi defnyddio'r hwiangerdd i greu cynllun ar gyfer stôl i blentyn. Mae'n newid cael defnyddio brodwaith ar gyfer dodrefnyn fel hyn, yn hytrach na'i hongian ar wal. Stôl gron yw hon, ond gallwch orchuddio stôl sgwâr â'r cynllun hwn hefyd, neu ei fframio fel llun. Er mwyn creu effaith y môr defnyddiais ffabrig glas canolig, ond mae'n bosibl pwytho ar las golau, lliw hufen, neu las tywyll os ydych am fod yn fwy dramatig.

MAINT GORFFENEDIG Y CYNLLUN
8" x 8"

BYDD ANGEN
- ffabrig lliain neu *Quaker*, (mae angen ffabrig o ansawdd da i orchuddio'r stôl) 28 cyfrif, maint 16" sgwâr
- nodwydd dapestri 26/24
- edau DMC
- defnyddiwch edau o'r lliwiau a gynrychiolir gan y symbolau isod:

		DMC
Y	glas golau iawn	828
⬇	glas y llynges golau iawn	322
·	hufen	712
E	glas golau	813
O	gwyrddloyw canolig	562
◪	llwydfelyn tywyll	642
!	gwyn	*blanc*
:	pincfelyn golau iawn	948
L	melyn canolig	743
◨	melyngoch tywyll	355
◥	llwydfelyn tywyll iawn	640
⬓	llwydwyrdd tywyll	3051
◀◀	llwydwyrdd canolig	3052
人	llwydwyn	415
◪	llwyd tywyll iawn	535

✗	lliw hen aur canolig	729
⫽	llwydwyn golau iawn	762
◑	delfft tywyll	798
.'	pincfelyn golau	754
	glas y llynges tywyll	823

I DDILYN Y SIART
Mae pob sgwâr ar y siart = 2 edau o'r ffabrig = 1 pwyth.

PWYTHAU A DDEFNYDDIR
croesbwyth, ¾ croesbwyth a phwyth Holbein.

I BWYTHO
Defnyddiwch ddau edefyn i weithio'r croesbwyth ac yna un edefyn o'r lliw 823 i amlinellu'r cyfan. Defnyddiwch ddau edefyn o 823 i bwytho'r hwiangerdd, ond os ydych yn defnyddio ffabrig glas tywyll, yna pwythwch yr hwiangerdd yn y glas golau 828.

LLIWIAU ERAILL
- ffabrig glas tywyll ac edau o'r un lliwiau ag uchod, gyda'r ysgrifennu mewn 828.
- ffabrig *Linda* lliw *Ivory* ac edau o'r un lliwiau ag uchod.

Fuost
ti erioed yn morio?
mewn padell ffrio
A wyt ti'n crio.
Lle bûm i'n crio
A dyna
A gwynt ñ i'r Eil o Màn
chwythodd

40

5. TŶ LEGO

Gyda'r anrheg o Lego – tŷ newydd
Fel tŷ ni, wnaf eto;
Rhai gwyn yw'r cerrig yno,
Tlws yw'r teils sy ar y to.

(EMRYS ROBERTS)

Dyma gynllun wedi ei seilio ar siapiau Lego ac wedi ei bwytho mewn lliwiau llachar. Gallwch ei bwytho naill ai gyda'r englyn, fel y gwelir yma, neu gydag enw'r plentyn a dyddiad ei ben-blwydd.

MAINT GORFFENEDIG Y CYNLLUN

12 ¾" x 8"

BYDD ANGEN

- ffabrig *Linda* lliw Gwyn 28 cyfrif, maint 17" x 12"
- nodwydd dapestri 26/24
- edau DMC
- defnyddiwch edau o'r lliwiau a gynrychiolir gan y symbolau isod:

		DMC
▩	coch nadoligaidd	666
◉	glas y llynges	312
—	lemwn tywyll	444
g	gwyn	B52200
!	gwyn	*blanc*
U	gwyrdd nadoligaidd	700
c	coch tywyll iawn	498
⧓	gwyrdd pistasio tywyll iawn	319
+	llwydfelyn canolig	644
ɔ	aur hynafol tywyll	3820
■	du	310
●	glas y llynges tywyll	823

I DDILYN Y SIART

Mae pob sgwâr ar y siart = 2 edau o'r ffabrig = 1 pwyth.

PWYTHAU A DDEFNYDDIR

Croesbwyth, ¾ croesbwyth a phwyth Holbein.

I BWYTHO

Defnyddiwch ddau edefyn o'r lliwiau priodol yn y nodwydd i weithio'r croesbwyth ac un edefyn i amlinellu. Pwythwch y pennill mewn dau edefyn o rif 319 a phwyth Holbein. Mae'n bwysig amlinellu'r briciau Lego ag un edefyn i gael yr effaith orau, gweler llun (i); defnyddiwch edau lliw 319 i amlinellu'r holl waith er mwyn creu undod. Mae'r cynllun hwn yn dibynnu ar ddefnyddio'r un lliwiau â Lego – coch, melyn, glas a gwyrdd llachar – ond gallwch ddefnyddio graddliwiau ysgafnach o'r rhain os mynnwch.

Gyda'r anrheg o Lego - t

Fel tŷ ni, wnaf et

Rhai gwyn yw'r cerrig

Tlws yw'r teils sy ar

TŶ LEGO

(i)

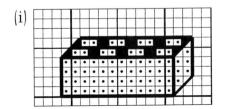

tŷ newydd

to,

yno,

y to

EMRYS ROBERTS

43

6. CARTREF NEWYDD

*Nid to a wal sy'n gwneud tŷ
Yn gartref, ond y teulu.*

(MORRIS JAMES)

Dyma gynllun addas ar gyfer tŷ newydd, neu i'w roi yn anrheg i rywun sydd wedi symud tŷ. Gallwch ddefnyddio'r cwpled hwn, neu un o'r penillion yn adran IV, wedi ei bwytho mewn sgript llai o faint yn y pwyth Holbein. Mae'n bosibl gweithio cerrig yn lle'r brics o amgylch y drws ac yn y border os yw hynny'n gweddu'n well i adeiladwaith y tŷ. Gellir gweithio enw'r tŷ yn y canol.

MAINT GORFFENEDIG Y CYNLLUN

13" x 7 ¾"

BYDD ANGEN

– ffabrig *Jubilee* lliw *Dawn Grey* 28 cyfrif, maint 19" x 13".
– nodwydd dapestri 26/24
– edau DMC
– defnyddiwch y lliwiau a gynrychiolir gan y symbolau isod:

		DMC
✳	gwyrdd rhedyn tywyll	520
◪	melyngoch tywyll	355
⍾	glas y llynges tra golau	322
♥	gwyrdd rhedyn golau	523
⌐	gwyrdd rhedyn canolig	522
1	topas golau	726

I DDILYN Y SIART

Mae pob sgwâr ar y siart = 2 edau o'r ffabrig = 1 pwyth.

PWYTHAU A DDEFNYDDIR

Croesbwyth, ¾ croesbwyth a phwyth Holbein.

I BWYTHO

Defnyddiwch ddau edefyn o 520 yn y nodwydd a phwyth Holbein i bwytho coes yr eiddew, ac yna un edefyn i weithio'r tendrilau. Gweithir y dail mewn croesbwyth â dau edefyn o 522 a 523. Yma rwyf wedi defnyddio lliw glas i bwytho'r drws, ond gallwch ddefnyddio'r un lliw â drws eich tŷ arbennig chi. Defnyddir dau edefyn o 355 i bwytho'r brics, ond os ydych am roi cerrig yno, defnyddiwch y lliw 451. Yna defnyddiwch ddau edefyn o'r un lliw â'r drws i bwytho'r gair CROESO ar y mat. Amlinellir y cyfan ag un edefyn o 520.

LLIWIAU ERAILL – AR GYFER TŶ CERRIG

Ffabrig *Linda* lliw *Ivory* ac edau DMC 500, 501, 502 (i bwytho'r eiddew); 451 (i'r cerrig), gydag un edefyn o 844 i amlinellu.

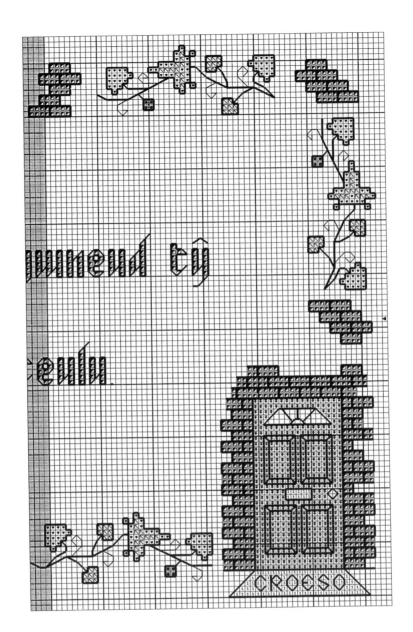

CROESO

7. Y Tymhorau

Y Gwanwyn

Ei law fu'n tyner liwio – gwyrdd y cae
    A gwyrdd y coed arno;
    Gŵyr ei adeg i rodio
    Yn y tir gyda'i baent O!

(John Roberts)

Yr Haf

O! mae'n braf cael gweld y blodau
    A chael cyfrif eu petalau;
    Gweld yr ŷd yn dechrau tyfu,
    Clywed adar bach yn canu.

(John Morris)

Hydref

Hen wraig y tymhorau ydwyt
    Ar waethaf pob gwadu ffôl,
    Er tlysni'r breichledau melyn
    A lliwiau dy barasôl.

(T Llew Jones)

Gaeaf

Noeth eu brig yw perthi bro
    A hin blwng yn eu blingo;
    Hen arthes o ryferthwy
    Â gwaedd oer a'u rhwygodd hwy.

(J Eirian Davies)

Dyma bedwar border syml sydd yn adlewyrchu naws y gwahanol dymhorau gydag anifail, aderyn neu löyn i nodweddu pob tymor yn ei dro. Fe allwch ddefnyddio'r borderi fel y maent, naill ai o amgylch penillion o'ch dewis chi am y gwahanol dymhorau, neu i ddathlu nifer o wahanol achlysuron:

– gwanwyn: genedigaeth
– haf: pen-blwydd deunaw oed
– hydref: pen-blwydd priodas aur (oherwydd fod y lliwiau'n addas)
– gaeaf: pen-blwydd priodas ruddem (eto oherwydd y lliwiau).

Gallwch eu defnyddio hefyd i ddathlu priodas yn y tymor arbennig hwnnw, pen-blwydd arbennig neu ymddeoliad. Er mwyn gwneud y brodwaith yn fwy personol, gallwch newid y gornel chwith uchaf a rhoi crud ar gyfer genedigaeth, rhif i ddynodi pen-blwydd, neu ddwy fodrwy/ llythrennau cyntaf enwau i ddathlu priodas.

Gallwch hefyd roi englyn priodol yn y canol, neu enwau a lleoliad priodas, cwpled neu bennill, neu unrhyw beth sydd yn berthnasol i'r achlysur.

Y Gwanwyn

MAINT GORFFENEDIG
13 ½" x 9 ½"

BYDD ANGEN
- ffabrig *Jubilee* lliw *Dawn Grey* 28 cyfrif, maint 19" x 15". (Rwyf wedi dewis y lliw yma i awgrymu gwyrddni'r gwanwyn.)
- nodwydd dapestri 26/24
- edau DMC
- defnyddiwch edau o'r lliwiau a gynrychiolir gan y symbolau isod:

		DMC
▼	gwyrdd pistasio tra thywyll	319
⦙	gwyrdd pistasio canolig	320
◗	delfft tywyll	798
∨	delfft canolig	799
■	du	310
1	topas golau	726
(	topas golau iawn	727
.	hufen	712
✦	llwydfrown golau	613
∧	melynddu tra golau	739

I DDILYN Y SIART
Mae pob sgwâr ar y siart = 2 edau o'r ffabrig = 1 pwyth.

PWYTHAU A DDEFNYDDIR
Croesbwyth, ¾ croesbwyth a phwyth Holbein.

I BWYTHO
Mae'r brodwaith wedi ei weithio mewn croesbwyth â dau edefyn yn y nodwydd. Defnyddiwch ddau edefyn o'r gwyrdd 319 i bwytho'r coesyn sy'n ganolog i'r border a hefyd i bwytho'r pennill, ac un edefyn o'r lliw gwyrdd 319 i amlinellu'r holl waith a hefyd i bwytho'r tendrilau.

y gwanwy

Ei law fu'n tyner lliwio - g

A gwyrdd y coed ar

Gŵyr ei adeg i rodic

Yn y tir gyda'i baent

JOHN

49

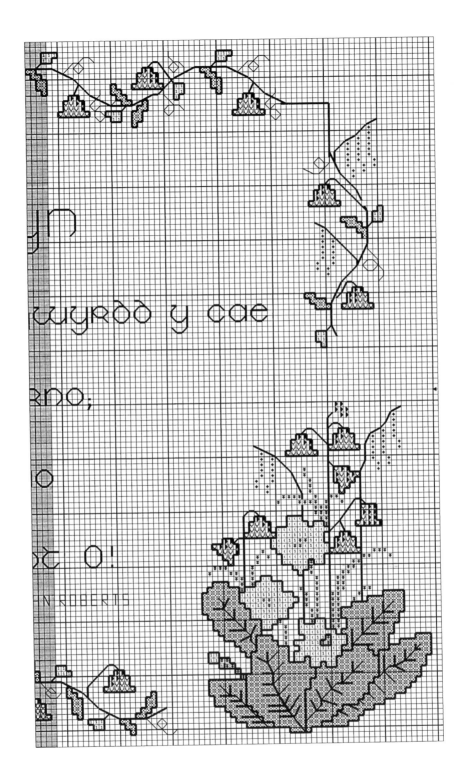

Yr Haf

MAINT GORFFENEDIG Y CYNLLUN
13 ⁷⁄₈" x 9 ¼"

BYDD ANGEN
- ffabrig *Brittney* lliw *Bone* 28 cyfrif, maint 20" x 16". (Rwyf wedi dewis y lliw hwn i awgrymu cynhesrwydd yr haf.)
- nodwydd dapestri 26/24
- edau DMC
- defnyddiwch edau o'r lliwiau a gynrychiolir gan y symbolau isod:

		DMC
◀	gwyrdd canolig	987
◣	lliw gwin tywyll	3685
◗	delfft tywyll	798
⟋	gwyrdd golau	989
!	gwyn	*blanc*
∪	delfft canolig	799
j	lliw eog golau	761
◣	lliw eog canolig	760
7	piwslas golau	3747
⋮	melyn golau	744
♡	lliw eog tra golau	3713
1	pinc golau	3609
2	pinc canolig	3608
■	du	310
◠	lliw eog canolig tywyll	3712
i	pincwyn	211
◀	clared tywyll	902
	gwyrdd canolig	986

I DDILYN Y SIART
Mae pob sgwâr ar y siart = 2 edau o'r ffabrig = 1 pwyth.

PWYTHAU A DDEFNYDDIR
Croesbwyth, pwyth Holbein, a chwlwm Ffrengig â dau edefyn yn y nodwydd.

I BWYTHO
Mae'r cynllun wedi ei weithio mewn croesbwyth, â dau edefyn yn y nodwydd. Defnyddiwch un edefyn i amlinellu, â'r lliw 987. Defnyddiwch 2 edefyn o 987 i bwytho'r pennill, dau edefyn o 987 i bwytho'r coesyn sy'n ganolog i'r border ac un edefyn o 986 i bwytho'r tendrilau. Defnyddiwch ddau edefyn o liw gwyn i bwytho'r Cwlwm Ffrengig â ddynodir gan •

CWLWM FFRENGIG

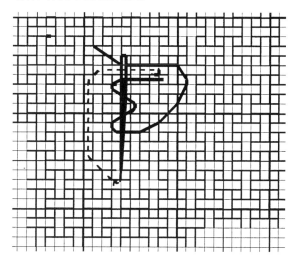

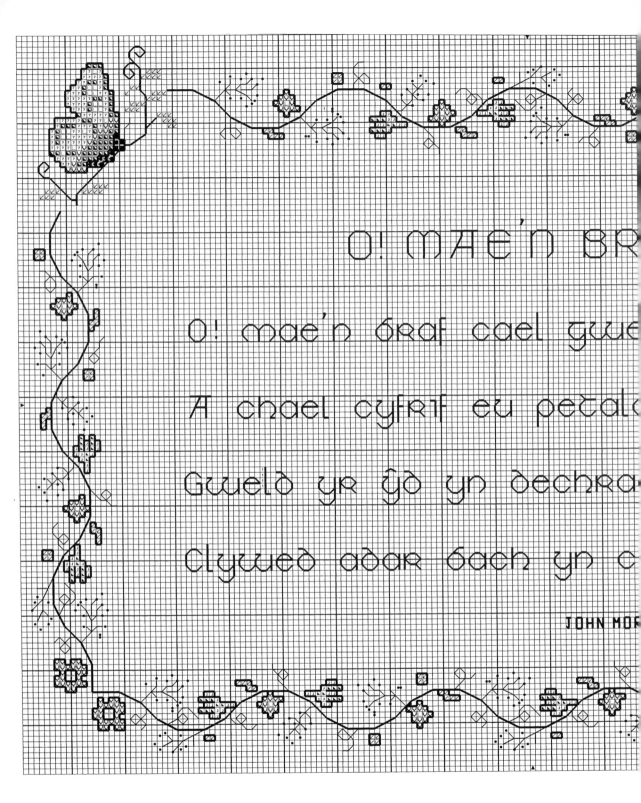

O! MAE'N BR

O! mae'n braf cael gwe

A chael cyfrf eu petala

Gweld yr ŷd yn dechra

Clywed adar bach yn c

JOHN MOR

Yr Hydref

MAINT GORFFENEDIG Y CYNLLUN
12 3/8" x 7 7/8"

BYDDWCH ANGEN
- ffabrig *Quaker* lliw *Mushroom* 28 cyfrif, maint 19" x 14"
- nodwydd dapestri 26/24
- edau DMC
- defnyddiwch edau o'r lliwiau a gynrychiolir gan y symbolau isod:

		DMC
■	lliw coffi tra thywyll	938
C	lliw cnawd tra thywyll	632
◩	melyngoch tywyll	355
➤	fioled hynafol tywyll	3740
N	du	310
◑	brown	400
●	aur tra golau	834
<	lliw cnawd tywyll	3064
N	melyngoch canolig	356
!	gwyn	*blanc*

I DDILYN Y SIART
Mae pob sgwâr ar y siart = 2 edau o'r ffabrig = 1 pwyth.

PWYTHAU A DDEFNYDDIR
Croesbwyth, ¾ croesbwyth, pwyth Holbein a chwlwm Ffrengig gyda dau edefyn yn y nodwydd.

I BWYTHO
Mae'r cynllun wedi ei weithio mewn croesbwyth, â dau edefyn yn y nodwydd. Defnyddiwch un edefyn o'r lliw 938 i amlinellu'r cyfan ac i bwytho'r gwythiennau ar y dail. Defnyddiwch un edefyn o 632 i bwytho'r tendrilau a dau edefyn o 632 i bwytho'r coesyn sy'n ganolog i'r border. I bwytho'r pennill defnyddiwch ddau edefyn o 938.

hydref

hen wraig y tymhorau

Ar waethaf pob gw

Er tlysni'r breichledau

A lliwiau dy barasol

Y Gaeaf

13" x 9 ⅛"

BYDD ANGEN
- ffabrig *Annabelle* lliw *Antique White* 26 cyfrif, maint 19" x 16". (Rwyf wedi dewis y ffabrig hwn i awgrymu oerni'r gaeaf.)
- nodwydd dapestri 26/24
- edau DMC
- defnyddiwch edau o'r lliwiau a gynrychiolir gan y symbolau isod:

		DMC
⋈	gwyrdd pistasio tra thywyll	319
⋰	gwyrdd pistasio canolig	320
⋰	gwyrdd afocado golau	472
▦	coch nadoligaidd	666
■	du	310
◒	lliw coffi tra thywyll	898
◖	brown canolig	433
◤	topas tra thywyll	780
N	lliw dur golau	318
⧓	topas canolig	782
!	gwyn	*blanc*
▱	llwydfelyn tra thywyll	3790
Ǝ	lliw cnawd tra thywyll	632

I DDILYN Y SIART
Mae pob sgwâr ar y siart = 2 edau o'r ffabrig = 1 pwyth.

PWYTHAU A DDEFNYDDIR
Croesbwyth, ¾ croesbwyth, pwyth Holbein.

I BWYTHO
Mae'r cynllun wedi ei weithio mewn croesbwyth â dau edefyn yn y nodwydd. Defnyddiwch un edefyn o'r lliw 319 i amlinellu ac i weithio'r tendrilau. Defnyddiwch ddau edefyn o'r lliw 319 i bwytho'r pennill a'r coesyn sy'n ganolog i'r border.

GAEAF

noeth eu brig yw pe

A hin glwng yn eu ôl

hen arthes o ryferth

Â gwaedd oer a'u rhwg

erchi bro

lingo;

hwy

ygodd hwy.

RIAN DAVIES

11. DYRO I NI HEDDIW

Dyro i ni heddiw ein bara beunyddiol.

Dyma gynllun sydd yn dibynnu ar y pwyth Holbein i greu effaith ar y gwenith yn yr ochr ac yn y border. Mae'n edrych ar ei fwyaf effeithiol wedi ei bwytho mewn lliwiau sydd yn awgrymu torth o fara, ond gallwch ddefnyddio lliwiau i gyd-fynd â'r gegin neu'r ystafell fwyta os mynnwch.

MAINT GORFFENEDIG

14 1/8" x 7 3/4"

BYDD ANGEN

- ffabrig *Jubilee* lliw *Amaretto* 28 cyfrif, maint 20" x 14"
- nodwydd dapestri 26/24
- edau DMC
- Defnyddiwch y lliwiau a gynrychiolir gan y symbolau uchod:

		DMC
◇	mahogani tra golau	402
■	lliw coffi tra thywyll	938
⊤	melyn canolig	743
III	copor golau	921
□	copor coch	919
	brown tywyll	839

I DDILYN Y SIART

Mae pob sgwâr ar y siart = 2 edau o'r ffabrig = I pwyth.

PWYTHAU A DDEFNYDDIR

Croesbwyth, 3/4 croesbwyth, pwyth Holbein a phwyth hir.

I BWYTHO

Defnyddir dau edefyn i bwytho'r croesbwyth a'r Holbein yn yr ysgrifen a hefyd goesyn y gwenith yn y border. Defnyddir un edefyn o 839 i amlinellu'r gwaith a hefyd i farcio'r dywysen ac i wneud y pwythau hir. Defnyddir dau liw, 921 a 919, i bwytho'r geiriau ac un edefyn o 919 i amlinellu'r ysgrifen.

LLIWIAU ERAILL

- ffabrig *Quaker* lliw *Sand* 28 cyfrif, gydag edau DMC 720, 721, 783, 781, 938.
- ffabrig *Quaker* lliw *Driftwood* 28 cyfrif, gydag edau DMC 733, 731, 725, 783, 839.

12. BYD GWYN ...

Byd gwyn yw byd a gano,
Gwaraidd fydd ei gerddi fo.

Dyma frodwaith a fyddai'n addas fel anrheg i rywun cerddorol. Neu gallech ddefnyddio unrhyw un o'r offerynnau ar ei ben ei hun mewn cornel a rhoi cerddoriaeth i greu border o amgylch enw, englyn neu bennill.

MAINT GORFFENEDIG Y CYNLLUN
12 $^5/_8$" x 9"

BYDDWCH ANGEN
- ffabrig *Jubilee* lliw *Blue Grey* 28 cyfrif, maint 19" x 15"
- nodwydd dapestri 26/24
- edau DMC
- defnyddiwch edau o'r lliwiau a gynrychiolir gan y symbolau isod:

		DMC
◑	brown	400
◇	lliw aur golau	676
1	lliw aur	726
◀	lliw gwin tywyll	902
⊞⊞	llwyd golau	318
✳	melynwyn	746
N	llwydfelyn canolig	356
■	du	310
	brown tywyll	898

I DDILYN Y SIART
Mae pob sgwâr ar y siart = 2 edau o'r ffabrig = 1 pwyth.

PWYTHAU A DDEFNYDDIR
Croesbwyth, ¾ croesbwyth, pwyth Holbein a chwipio pwyth Holbein.

I BWYTHO
Defnyddiwch ddau edefyn o 898 i bwytho'r ysgrifen mewn pwyth Holbein, a chan ei bod mewn sgript eithaf bras, fe fydd yn edrych yn well wedi i chi chwipio'r pwythau Holbein; defnyddiwch un edefyn o 898 i wneud hyn. Defnyddiwch un edefyn i bwytho'r erwydd a'r nodau ond dau edefyn i bwytho'r nodau sydd yn y border. Gallwch bwytho unrhyw alaw sydd yn addas i'r achlysur ac, i greu undod, gallwch ddefnyddio un edefyn o 898 i amlinellu popeth.

Chwipio pwyth Holbein

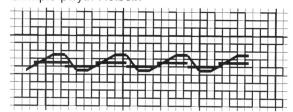

LLIWIAU ERAILL
- ffabrig *Quaker* lliw *Sand* 28 cyfrif, gydag edau DMC 720, 721, 783, 781 a 938

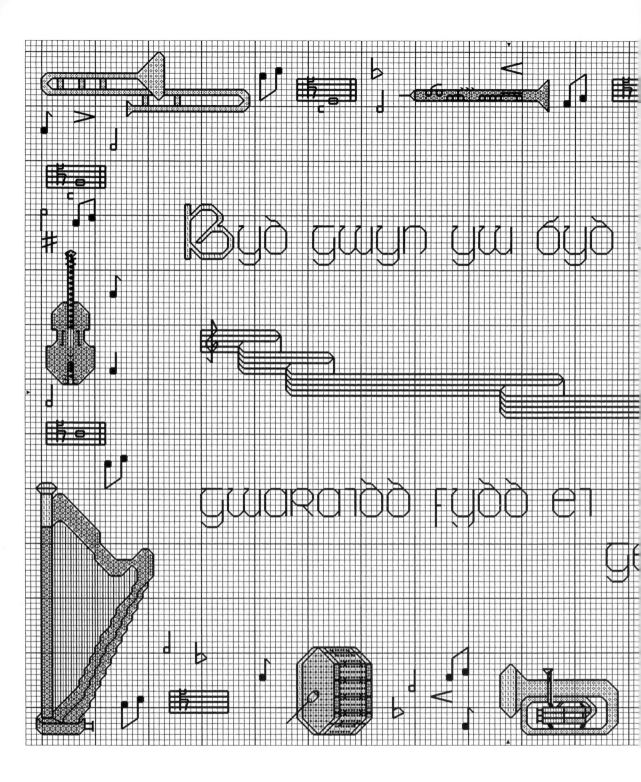

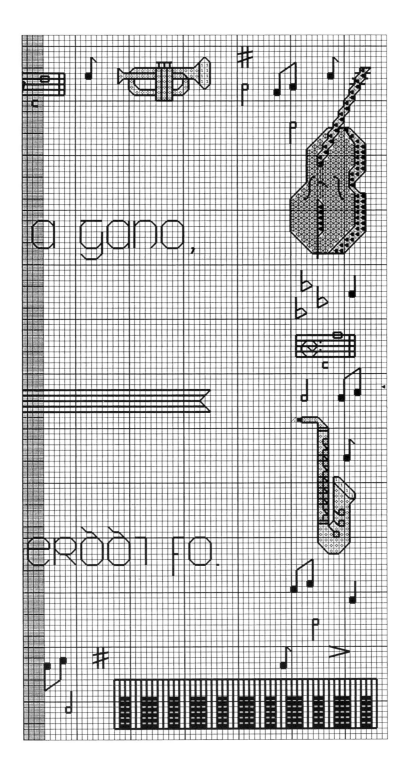

13. Gwyn Fyd yr Adar

Diofal yw'r aderyn,
  Ni hau, ni fed un gronyn,
Heb ddim gofal yn y byd,
  Ond canu ar hyd y flwyddyn.

Eistedda ar y gangen
  Gan edrych ar ei aden,
Heb un geiniog yn ei god,
  Yn llywio a bod yn llawen.

Fe fwyty'i swper heno,
  Ni ŵyr ymhle mae'i ginio,
Dyna'r modd y mae o'n byw
  A gad i Dduw arlwyo.

(HEN BENILLION)

Gan mai hen benillion traddodiadol yw testun y llun yma, penderfynais ddefnyddio ffabrig o liw tywod i awgrymu hen femrwn a phwytho'r penillion mewn llythrennau Celtaidd. Mae'r chwe aderyn – sef y wennol a'r dryw, y titw tomos las, y robin goch, yr eurbinc a thelor y coed – yn rhoi digon o liw a bywyd i'r cyfan a dyna pam na roddwyd border o amgylch y llun.

MAINT GORFFENEDIG Y CYNLLUN

10 ¾" x 15½"

BYDDWCH ANGEN

- ffabrig *Linda* lliw *Sand* 28 cyfrif, maint 17" x 21"
- nodwydd dapestri 26/24
- edau DMC
- defnyddiwch edau o'r lliwiau a gynrychiolir gan y symbolau isod:

Symbol	Lliw	DMC
T	llwydwyrdd tywyll	3051
◩	llwyd tra thywyll	535
●	lliw coffi tra thywyll	898
╫	lliw dur golau	318
◤	topas tra thywyll	780
✦	llwydfrown golau	613
◪	gwyrdd pistasio tra thywyll	319
◪	llwydfelyn tywyll	642
◀◀	llwydwyrdd canolig	3052
!	gwyn	*blanc*
▓	coch nadoligaidd	666
◣	lliw eog canolig	760
▶▶	glas hynafol canolig	931
■	lemwn golau	445
✗	mahogani canolig	301
◀	lliw eog tywyll	3328
◪	glas hynafol tywyll	930
◑	glas y llynges canolig	311
■	lliw piwter tywyll	413
◉	glas y llynges golau	312
—	lemwn tywyll	444
V	topas canolig	782
∧	melynddu tra golau	739
■	du	310

I DDILYN Y SIART

Mae pob sgwâr ar y siart = 2 edau = 1 pwyth.

PWYTHAU A DDEFNYDDIR

Croesbwyth, ¾ croesbwyth a phwyth Holbein.

I BWYTHO

Defnyddiwch ddau edefyn yn y nodwydd i bwytho'r adar, ac un edefyn i'w hamlinellu. Dau edefyn o 898 a ddefnyddir i bwytho'r penillion â phwyth Holbein.

LLIWIAU ERAILL

Mae'n well cadw lliwiau'r adar fel y maent, ond mae'n bosibl cael ffabrig o liw arall e.e. *Linda* lliw *Ivory*, neu *Brittney* lliw *Mushroom*. Yna dylech newid lliw yr ysgrifen i wyrdd 500 neu lwydfrown 610.

Gwyn Fy

Diofal yw'r aderyn,

Ni hau, ni fed un gr

Heb ddim gofal yn y

Ond canu ar hyd y

Eisteddai

Gan edr

Heb un ge

JO YR ADAR

DRYW

RONYN,

I OYD,

Y FLWYDDYN.

A AR Y GANGEN

DRYCH AR EI ADEN,

EINIOG YN EI GOD,

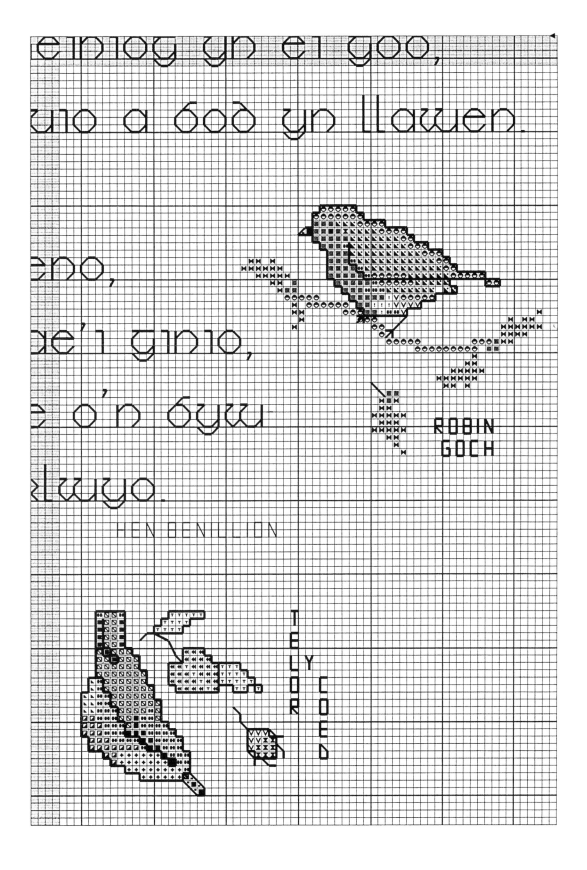

ROBIN GOCH

HEN BENILLION

TELOR Y COED

14. HEN GENEDL

Hen genedl, cof hir,
Hen gof, y gwir.
Hen bridd, gwraidd saff,
Hen wraidd; pren praff.
Hen iaith, anadl fer,
Hen anadl, her.

(GERALLT LLOYD OWEN)

Ar gyfer y gerdd hon gan Gerallt Lloyd Owen rwyf wedi troi at y Celtiaid am y cynllun, gan ddefnyddio patrwm söomorffig o gi, sarff ac aderyn ar yr ochr chwith a gwyddor o'r bedwaredd ganrif o Lyfr Kells. Mae hon yn wyddor onglog ac rwyf wedi ceisio ei gwneud yn fwy diddorol trwy ei haddurno â'r un lliwiau llachar â'r rhai sydd yn y patrwm.

MAINT GORFFENEDIG Y CYNLLUN
13 ¾" x 8"

BYDD ANGEN
– ffabrig *Quaker* lliw Hufen 28 cyfrif, maint 20" x 14"
– nodwydd dapestri 26/24
– edau DMC
– defnyddiwch edau o'r lliwiau a gynrychiolir gan y symbolau isod:

		DMC
◨	llwydwyrdd tra thywyll	924
↖	lliw cwrel tra thywyll	817
◉	glas y llynges golau	312
◤	gwyrddloyw canolig	562
●	lliw aur tra golau	834
✕	lliw gwin	3731

I DDILYN Y SIART
Mae pob sgwâr ar y siart = 2 edau o'r ffabrig = 1 pwyth.

PWYTHAU A DDEFNYDDIR
Croesbwyth, ¾ croesbwyth, hanner croesbwyth a phwyth Holbein.

I BWYTHO
Mae'r cynllun söomorffig wedi ei weithio i gyd mewn pwyth croes, ag un edefyn o 924 a phwyth Holbein i amlinellu. Mae'n bwysig amlinellu pob llythyren ag un edefyn o 924 er mwyn diffinio ei siâp, ac i wrthgyferbynnu â'r lliw llachar. Gweithir yr hanner croesbwyth lliwgar fel cysgod i'r llythrennau, ag un edefyn yn y cyfeiriad hwn \ ; defnyddir yr un lliwiau llachar ag sydd yn y cynllun söomorffig – coch, melyn, gwyrdd a glas.

LLIWIAU ERAILL
– ffabrig *Quaker* lliw *Driftwood* ac edau DMC 844, 3740, 3042, 315, 3727.
– ffabrig *Quaker* lliw *Sand* ac edau DMC 3031, 813, 355, 3821, 3346.

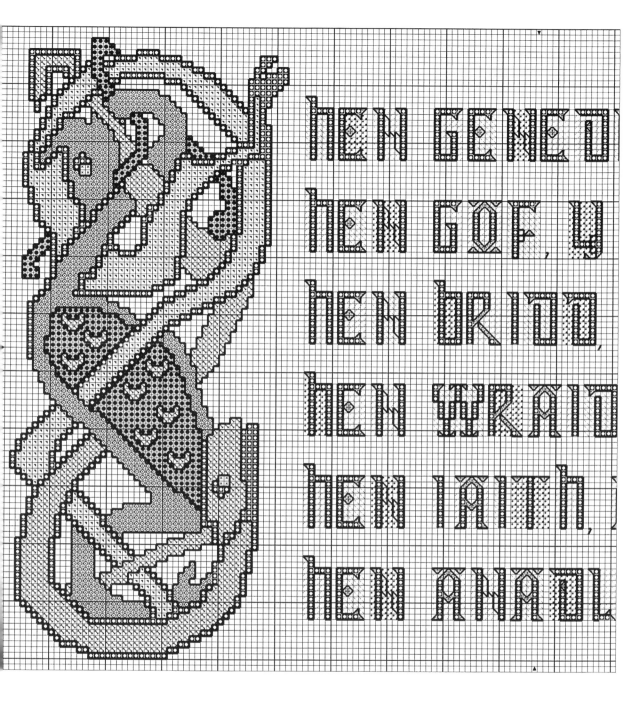

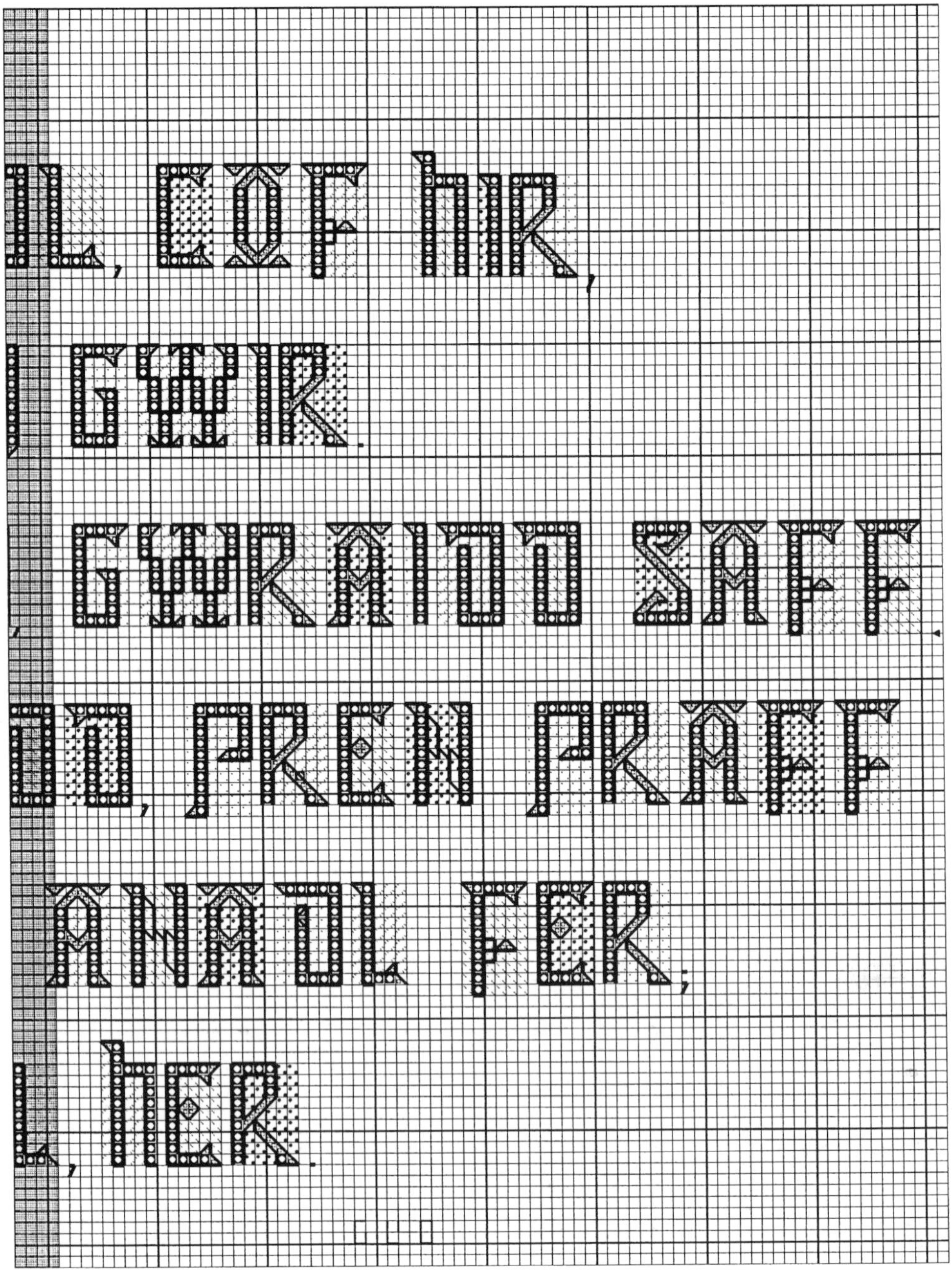
L, COF HIR,
GWIR.
GWRAIDD SAFF.
DD, PREN PRAFF
ANADL FER;
L, HER.

15. GWEDDI'R ARGLWYDD

Mae llythyren gyntaf y weddi wedi ei chynllunio ar ffurf *Art Nouveau* o ddechrau'r ganrif hon, ond mae wedi ei phwytho mewn lliwiau llachar i awgrymu gwydr lliw, gyda phwythau llwydlas tywyll i gynrychioli'r plwm.

MAINT GORFFENEDIG Y CYNLLUN
15" x 14 ¾"

BYDD ANGEN
- ffabrig *Jubilee* lliw *Blue Grey* 28 cyfrif, maint 20" x 20"
- nodwydd dapestri 26/24
- edau DMC
- defnyddiwch edau o'r lliwiau a gynrychiolir gan y symbolau isod:

		DMC
❏	llwydwyrdd tra thywyll	924
↖	lliw cwrel tra thywyll	817
●	lliw aur tra golau	834
∪	delfft canolig	799
◤	gwyrddloyw canolig	562
	glas hynafol canolig	931

I DDILYN Y SIART
Mae pob sgwâr ar y siart = 2 edau o'r ffabrig = 1 pwyth.

PWYTHAU A DDEFNYDDIR
Croesbwyth a phwyth Holbein.

I BWYTHO
Defnyddiwch ddau edefyn yn y nodwydd i bwytho'r weddi mewn 924, dau edefyn o 931 a phwyth Holbein i weithio'r llinellau y tu allan i'r sgrôl ac un edefyn o 931 ar gyfer y llinellau y tu mewn iddi. Amlinellwch y croesbwythau llwyd tywyll 924 ag un edefyn o'r un lliw. Cofiwch fod angen chwipio'r pwythau Holbein yn y sgrôl, gan ddefnyddio dau edefyn o'r un lliw i'r pwythau sydd wedi eu gweithio â dau edefyn, ac un edefyn i'r pwythau sydd wedi eu gweithio ag un edefyn.

LLIWIAU ERAILL
- ffabrig *Annabelle* lliw *Lavender* ac edau DMC 315, 334, 502, 727, ysgrifen 902, Holbein 3721.
- ffabrig *Quaker* lliw *Summer Khaki* ac edau DMC 613, 356, 3364, 334, ysgrifen 3031, Holbein 610.

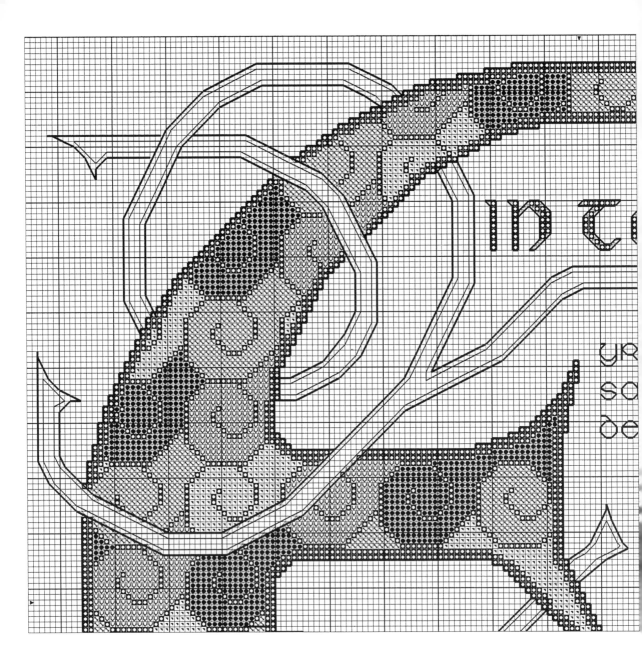

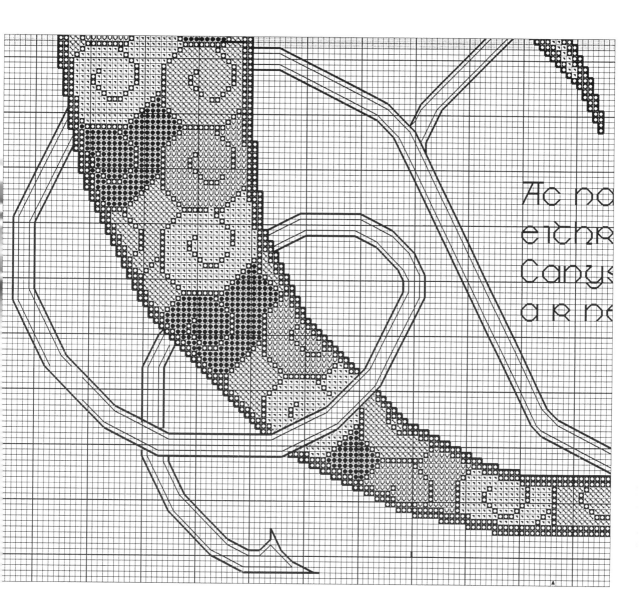

Ac na

eithr

Canys

a R ne

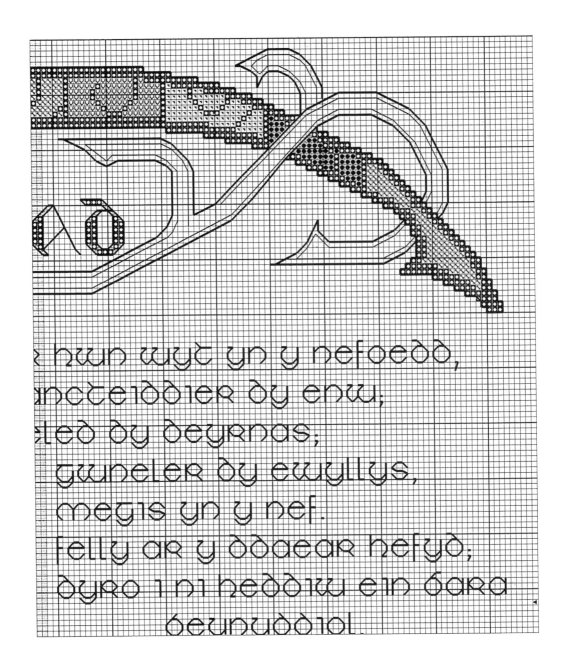

r hwn wyt yn y nefoedd,

anctei∂∂ier ∂y enw;

teð ∂y ∂eyrnas;

gwneler ∂y ewyllys,

megis yn y nef.

felly ar y ∂∂aear hefyð;

∂yro i ni he∂∂iw ein ∂ara

∂eunyð∂iol

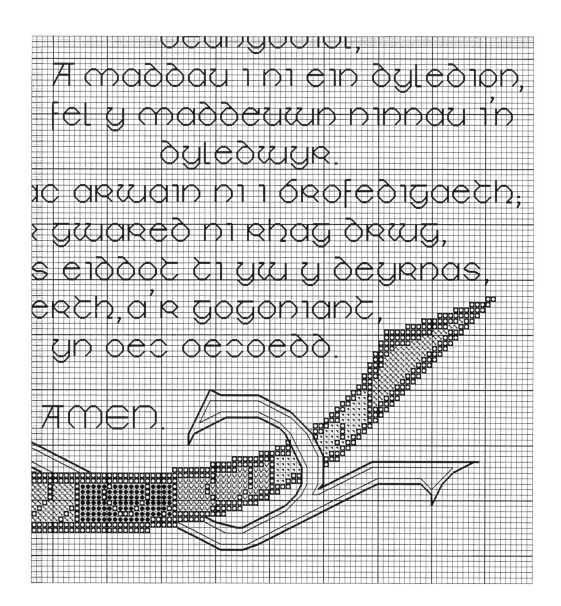

A maddau i ni ein dyledion,
fel y maddeuwn ninnau i'n
dyledwyr.

Ac arwain ni i brofedigaeth;
A gwared ni rhag drwg,
Canys eiddot ti yw y deyrnas,
A'r nerth, a'r gogoniant,
Yn oes oesoedd.

AMEN.

16. ETIFEDDIAETH

Cawsom wlad i'w chadw,
darn o dir yn dyst
ein bod wedi mynnu byw.

Cawsom genedl o genhedlaeth
i genhedlaeth, ac anadlu
ein hanes ni ein hunain.
A chawsom iaith, er na cheisiem hi,
oherwydd ei hias oedd yn y pridd eisioes
a'i grym anniddig ar y mynyddoedd.

(GERALLT LLOYD OWEN)

Dyma gerdd adnabyddus Gerallt wedi ei phwytho mewn sgript Geltaidd ar fap Cymru. Yn y ddwy gornel mae patrwm Celtaidd, sef coeden y bywyd o Lyfr Kells. Cafodd y cyfan ei bwytho mewn graddau gwahanol o'r un lliw gwyrdd ar ffabrig lliw llwydwyrdd, er mwyn adlewyrchu naws y gerdd. Os mynnwch, gallwch beintio siâp Cymru ar y ffabrig â phaent arbennig cyn dechrau pwytho'r gerdd.

MAINT GORFFENEDIG Y CYNLLUN
14½" x 16½"

BYDD ANGEN
– ffabrig *Quaker* lliw *Platinum* 28 cyfrif, maint 20" x 22"
– nodwydd dapestri 26/24
– edau DMC
– defnyddiwch edau o'r lliwiau a gynrychiolir gan y symbolau isod:

		DMC
Σ	gwyrdd ewyn y môr	503
◁	gwyrdd ewyn y môr canolig	502
⊼	gwyrdd ewyn y môr tywyll	501
	hufen	712

I ddilyn y siart
Mae pob sgwâr ar y siart = 2 edau o'r ffabrig = 1 pwyth.

PWYTHAU A DDEFNYDDIR
Croesbwyth, pwyth Holbein a phwyth sidan.

I BWYTHO
Pwythwch fap Cymru gan ddefnyddio un edefyn o 502. Os ydych am ei liwio, yna mae'n rhaid gwneud hynny nawr. (Cofiwch sicrhau bod y lliw wedi *setio*.) Defnyddiwch ddau edefyn 501 i bwytho'r gerdd mewn pwyth Holbein. Gweithir y border mewn croesbwyth yn lliwiau 502 a 503, a phwyth sidan yn cael ei weithio groesgornel yn edau lliw 712.

Diagram pwyth sidan

17. ABC

Dyma'r wyddor gydag enghraifft o fyd natur yn darlunio pob llythyren. Rwyf wedi gweithio border o gwlwm Celtaidd mewn dwy radd o'r un lliw er mwyn rhoi dyfnder i'r patrwm.

MAINT GORFFENEDIG Y CYNLLUN
16" x 17"

BYDD ANGEN
- ffabrig *Linda* lliw *Ivory* 28 cyfrif, maint 22" x 23"
- nodwydd dapestri 26/24
- edau DMC
- defnyddiwch edau o'r lliwiau a gynrychiolir gan y symbolau isod:

		DMC
❏	llwydlas tywyll	3051
◀◀	llwydlas canolig	3052
◪	melyngoch tywyll	355
⬤	lliw coffi tra thywyll	898
✳	gwyrdd rhedyn tywyll	520
▣	gwyrdd ewyn y môr tra thywyll	500
■	lliw piwter tywyll	413
◥	llwydfelyn tra thywyll	640
♥	gwyrdd rhedyn golau	523
◁	gwyrdd ewyn y môr canolig	502
·	hufen	712
❏	lliw coffi tra thywyll	938
N	lliw dur golau	318
⊟	aurfrown tywyll	975
⁄⁄	lliw dur tywyll	414
◢	copor canolig	920
❏	copor coch	919
◥	gwyrdd ewyn y môr tywyll	501
m	melynwyn	746
1	topas golau	726
.·	melyn tra golau	745
:	pincfelyn tra golau	945

⌗	gwyrdd y llawryfen tywyll	3363
◪	llwydfelyn tywyll	642
◆	llwydfrown tra thywyll	610
◐	brown	400
⏷	gwyrdd rhedyn canolig	522
⌞	melyn golau	744
⏶	fioled hynafol canolig	3041
!	gwyn	*blanc*
◖	llwydfelyn/frown tra thywyll	838
⊖	lliw aur tywyll	830
+	llwydbiws	554
(	topas tra golau	727
⏷	gwyrdd y loden tywyll	3362
H	lliw aur	726
◣	topas tra thywyll	780
4	gwyrdd ewyn y môr golau	504
⩘	brown y gollen tywyll	420
∧	melynddu tra thywyll	739
◗	brown canolig	433
✖	mahogani canolig	301
✦	llwydfrown golau	613
Σ	gwyrdd ewyn y môr	503
⋕	llwyd golau	318
■	melyn golau	445
Y	glas tra golau	828
⊞	lliw piwter	317
◪	fioled hynafol golau	3042
✗	lliw hen aur canolig	729
◣	melynwyrdd canolig	732
▦	coch nadoligaidd	666
■	du	310
▼	glas y penlas tywyll	322
⌐	mahogani tra thywyll	300

⊷	gwyrdd rhedyn tra golau	524
∃	lliw cnawd tra thywyll	632
⊤	pincfelyn golau	754
I	gwyrddlas tywyll	906
▶	rhuddgoch	347
U	delfft canolig	799
✕	lliw gwin tywyll	3685
◆	piwswyn golau	316
⫽	llwydlas tra golau	762
⋏	llwydlas	415
∴	gwyrdd afocado golau	472
◖	piwswyn canolig	315
⋔	glas y penlas golau	794
L	melyn canolig	743
▼	glas y llynges golau	825
△	gwyrdd canolig	3346
◄	lliw eog tywyll	3328
V	topas canolig	782
▢	llwydbiws tywyll	552
∴	llwydbinc	3779

I DDILYN Y SIART

Mae pob sgwâr ar y siart = 2 edau o'r ffabrig = 1 pwyth.

PWYTHAU A DDEFNYDDIR

Croesbwyth, ¾ croesbwyth a phwyth Holbein.

I BWYTHO

Defnyddiwch ddau edefyn yn y nodwydd ar gyfer y croesbwyth ac un edefyn i amlinellu'r croesbwyth â phwyth Holbein. Er mwyn creu undod trwy'r cynllun, defnyddiwch ddau edefyn o'r lliw 355 i weithio llythyren yr enw ymhob bocs ac YR WYDDOR. Am yr un rheswm, defnyddiwch y lliwiau 3051 a 3052 i weithio'r cwlwm Celtaidd ac i amlinellu'r bocsys Holbein gyda 3052, a'r gwyrdd tywyll 3051 i bwytho'r llinell fewnol.

Mae'n bwysig amlinellu popeth sydd wedi ei bwytho mewn croesbwyth, ac fe'i nodir â llinell dywyll. Defnyddiwch un edefyn o'r gwyrdd tywyll 500 neu'r llwyd 413 ar gyfer hyn: mae'r gwyrdd yn well fel arfer o amgylch y blodau, a'r llwyd yn fwy addas o amgylch yr anifeiliaid.

LLIWIAU ERAILL

Mae'n well cadw at y lliwiau a awgrymir neu rai tebyg i bwytho'r blodau a'r anifeiliaid. Ond gallwch newid lliwiau'r border, yr enwau a'r llythrennau a hefyd amlinell y bocsys i gyd-fynd â lliwiau'r ystafell lle mae'r brodwaith i hongian, neu i ddilyn eich chwaeth bersonol chi. Gallwch ddefnyddio unrhyw un o'r cynlluniau sydd o fewn y bocsys ar eu pennau eu hunain, ar gyfer cerdyn cyfarch pen-blwydd, ymddeoliad neu unrhyw achlysur arall.

afalau

briallu

cnau

eog

fioled

ffesant

iâr

lindys

llwynog

chwilod
dryw
y ddeilen
gwiwer
Fynghath
hydd
Morlo
nyth
oen

P	Ph	R	Rh
pili pala	pherchyll	robin goch	

a b c ch d	Th	U	U
dd e f ff g			
ng h i l ll			
m n o p ph			
r rh s t			
th u w y	ei thusw	uchelwydd	

YR WYL

rhedyn   saffrwm   tylluan

wy ysgyfarnog

A B C Ch D
Dd E F Ff
G Ng H I L
Ll M N O P
Ph R Rh S
T Th U W Y

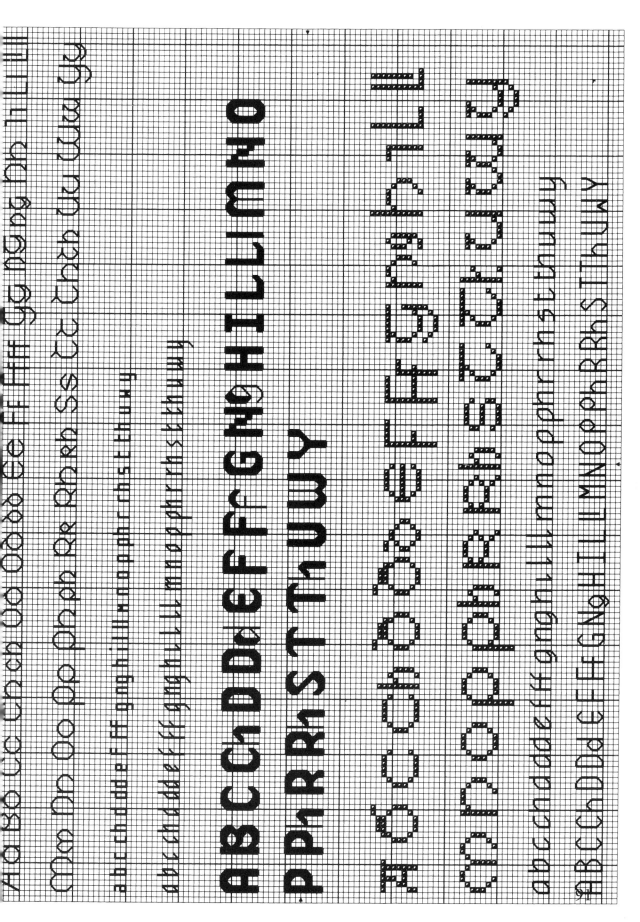

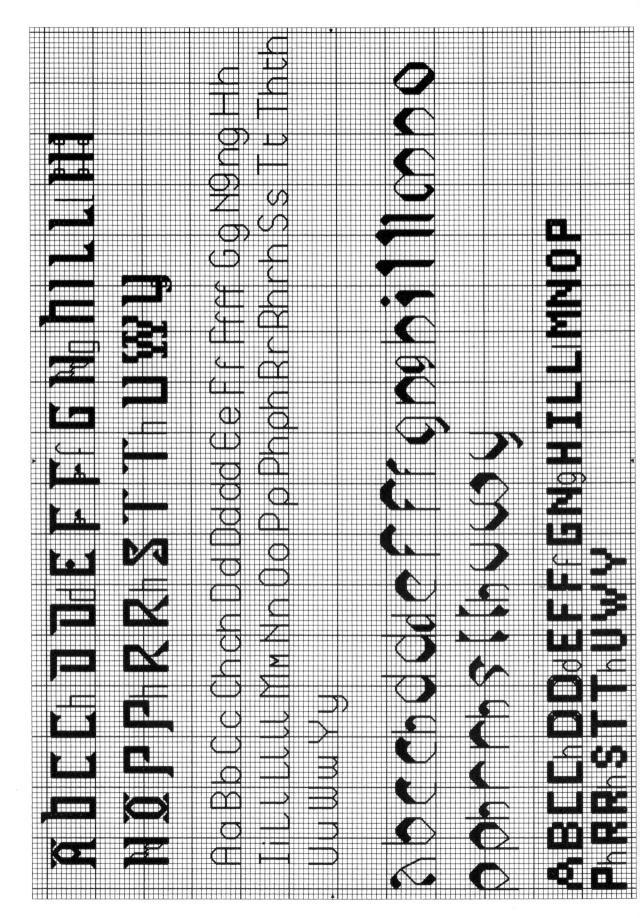

IV. Cyfarchion Arbennig

CYFARCHION ARBENNIG

Deunaw Oed

Deunaw oed yn ei hyder – deunaw oed
   Yn ei holl ysblander;
   Dy ddeunaw oed boed yn bêr,
   Yn baradwys ddibryder.

             (DIC JONES)

Priodas

   Tydi a greodd fab a merch
   Ar ddelw Duw ei hun,
   Tydi a roddaist iddynt reddf
   I gymod yn gytûn;
   O, cadw'r ddeuddyn hyn o hyd
   Yng ngwres y fflam o'th gariad drud.

          (ANN LAURA HUGHES)

Dyma uniad cariadon – a dolen
   A'u deil hwy yn ffyddlon;
   Â chywir serch, erys hon
   Yn gwlwm am ddwy galon.

           (IEUAN DAVIES)

Priodas Ruddem

Mae'r fodrwy'n ddeugain meinach –
             ond o hyd
   Y mae'n dal yn dynnach;
   Pwytho byth y pethau bach
   A wna gwlwm diogelach.

            (DIC JONES)

Heddiw'n briodas ruddem,
Ein deugain yn gain fel gem.

               (W D J)

Priodas Aur

A mi yn gwarchod mwyach ail hanner
   Can mlynedd cyfrinach
   Dau, rwyf i, y fodrwy fach,
   Yn denau, ond yn dynnach.

         (T ARFON WILLIAMS)

Cartref

Nid aelwyd a wna deulu, – nid muriau,
   Ond y mawr ofalu,
   A daw gwres ei anwesu
   O'r un tân er newid tŷ.

            (IEUAN WYN)

Mae lle diddan dan ei do,
Gwresog a llawn o groeso.

               (?)

'Rôl blino treiglo pob tref,
Teg edrych tuag adref.

           (LLAWDDEN)

Yr Iaith Gymraeg

Mi wn yn iawn mai nyni – a'i cafodd,
    Y cyfan ohoni,
     I'w siarad a'i thrysori,
     Ond meddiant Duw ydyw hi.
              (DONALD EVANS)

Iaith araul, a'r iaith orau – Iaith gudeg
     Iaith gadarn ei seiliau;
     Iaith fy nhud, iaith fy nhadau,
     Iaith bêr, iaith i barhau.
(IEUAN GLAN GEIRIONYDD 1795-1855)

A ry anair i'w heniaith
Ni ry werth ar unrhyw iaith.
              (R J JONES)

'Roedd yma genedl cyn i genhedloedd
Wthio'u rhifedi ar ddieithr fydoedd;
'Roedd yma nodded y myrdd mynyddoedd
Galar hen hil yn y glaw a'r niwloedd;
Hen iaith cyn geni ieithoedd – i ddynion,
Deuai'r acenion gyda'r drycinoedd.
          (GERALLT LLOYD OWEN)

Dydd byr yw pob diwedd byd; – anadliad
     Yw cenhedlaeth hefyd;
     Nid yw Hanes ond ennyd;
     A fu ddoe a fydd o hyd.
          (GERALLT LLOYD OWEN)

Yr iaith sy'n haeddu mawrhad
A drysorwn drwy'i siarad.
        (GRIFFITH JOHN WILLIAMS)

Mae i dir ei rym di-wad,
Mae i'w linach ymlyniad.
Erys i'w dras drwy ei hiaith, –
Cyfanedd i'r cof uniaith.
             (IEUAN WYN)

Beth yw bod yn genedl? Dawn
Yn nwfn y galon,
Beth yw gwladgarwch? Cadw tŷ
Mewn cwmwl tystion.
          (WALDO WILLIAMS)

Amrywiol

Mae i ymdrech ei hiechyd, – i ymlâdd
     Mae ei lwyddiant hefyd,
     Mae i orchwyl hwyl o hyd,
     Mae i waith ei esmwythyd.
           (DIC JONES)

Wedi hir brawf y daw'r bri
Ni bu glod heb galedi.
         (GWILYM ERYRI)

Diwerth yw pob dyhead
Heb yr hir ddyfalbarhad.
        (EMRYS ROBERTS)

Er dirwyn o'r dihirod – ein hedau
     Gyfrodedd i'n datod,
     Tyn yw rhwymyn yr amod,
     Cwlwm hen batrwm ein bod.
       (Cwlwm – IEUAN WYN)

Er in lenwi tapestrïau'n heinioes
     â gwahanol bwythau,
     o raid yr un yw'r edau,
     a'r un ydyw'r brethyn brau.
       (T ARFON WILLIAMS)